VAI AONDE TE LEVA
O CORAÇÃO

SUSANNA TAMARO

VAI AONDE TE LEVA O CORAÇÃO

Tradução de
Maria Jorge Vilar de Figueiredo

EDITORIAL PRESENÇA

FICHA TÉCNICA

Título original: *Va' Dove Ti Porta Il Cuore*
Autora: *Susanna Tamaro*
Copyright © 1994 Baldini & Castoldi
Copyright © 1995 Baldini & Castoldi International
Tradução © Editorial Presença, Lisboa, 1995
Tradução: *Maria Jorge Vilar de Figueiredo*
Capa: *Fernando Felgueiras*
Composição, impressão e acabamento: *Multitipo — Artes Gráficas, Lda.*
1.ª edição, Lisboa, 1995
2.ª edição, Lisboa, 1995
3.ª edição, Lisboa, 1995
4.ª edição, Lisboa, Junho, 1996
5.ª edição, Lisboa, Outubro, 1996
6.ª edição, Lisboa, Fevereiro, 1997
7.ª edição, Lisboa, Maio, 1997
8.ª edição, Lisboa, Agosto, 1997
9.ª edição, Lisboa, Novembro, 1997
10.ª edição, Lisboa, Abril, 1998
11.ª edição, Lisboa, Novembro, 1998
12.ª edição, Lisboa, Abril, 1999
13.ª edição, Lisboa, Agosto, 1999
14.ª edição, Lisboa, Novembro, 1999
15.ª edição, Lisboa, Janeiro, 2000
16.ª edição, Lisboa, Junho, 2000
17.ª edição, Lisboa, Julho, 2000
18.ª edição, Lisboa, Outubro, 2000
19.ª edição, Lisboa, Dezembro, 2000
20.ª edição, Lisboa, Fevereiro, 2001
21.ª edição, Lisboa, Maio, 2001
22.ª edição, Lisboa, Julho, 2001
23.ª edição, Lisboa, Setembro, 2001
24.ª edição, Lisboa, Outubro, 2001
25.ª edição, Lisboa, Novembro, 2001
26.ª edição, Lisboa, Fevereiro, 2002
27.ª edição, Lisboa, Abril, 2002
28.ª edição, Lisboa, Maio, 2002
29.ª edição, Lisboa, Julho, 2002
30.ª edição, Lisboa, Agosto, 2002
31.ª edição, Lisboa, Outubro, 2002
32.ª edição, Lisboa, Dezembro, 2002
Depósito legal n.º 188 684/02

Para Pietro

Oh Xiva, o que é a tua realidade?
O que é este universo tão cheio de espanto?
Que coisa forma a semente?
Quem serve de meão à roda do universo?
O que é esta vida para além da forma que invade
[as formas?
Como se pode entrar nela totalmente, por cima do
[espaço e do tempo, dos nomes e dos sinais?
Esclarece as minhas dúvidas!

De um texto sagrado do xivaísmo caxemirense

Opicina, 16 de Novembro de 1992

Partiste há dois meses e há dois meses, exceptuando um postal onde me comunicavas que ainda estavas viva, que não tenho notícias tuas. Esta manhã, estive parada durante muito tempo no jardim, diante da tua rosa. Apesar de o Outono já ir avançado, destaca-se com a sua cor púrpura, solitária e arrogante, sobre o resto da vegetação já murcha. Lembraste de quando a plantámos? Tinhas dez anos e leras há pouco tempo *O Príncipezinho*. Ofereci-to como prémio por teres passado de classe. Ficaste encantada com a história. As tuas personagens preferidas eram a rosa e a raposa; não gostavas nada do baobá, da serpente, do aviador, nem de todos aqueles homens vazios e presunçosos que andavam a vaguear, sentados sobre os seus planetas minúsculos. Por isso, uma manhã, enquanto comíamos, disseste-me: «Quero uma rosa». Quando te respondi que já tínhamos muitas, disseste: «Quero uma que seja só minha, quero cuidar dela, fazê-la crescer». Claro que, para além da rosa, também querias uma raposa. Esperta como todas as crianças, pediste a coisa mais simples antes da coisa quase impossível. Como poderia negar-te a raposa depois de te ter oferecido a rosa? Discutimos durante muito tempo e acabámos por nos decidir por um cão.

Na noite antes de o irmos buscar, não pregaste olho. De meia em meia hora, batias à porta do meu quarto e dizias: «Não consigo dormir». Às sete da manhã, já tinhas tomado o pequeno-almoço, e já estavas lavada e pronta; de casaco vestido, esperavas por mim sentada na poltrona. Às oito e meia, estávamos à porta do canil; ainda estava fechado. Tu, olhando por entre as grades, perguntavas: «Como hei-de saber qual é o meu?» Havia uma grande ansiedade na tua voz. Eu sossegava-te, não te preocupes, dizia, lembra-te de como o Príncipezinho domesticou a raposa.

Voltámos ao canil três dias a seguir. Lá dentro havia mais de duzentos cães e tu querias ficar com eles todos. Paravas diante de

9

todas as jaulas e ficavas imóvel e absorta, aparentemente indiferente. Entretanto, os cães arremessavam-se contra as redes, ladravam, davam saltos, tentavam arrancar as malhas com as patas. A encarregada do canil estava connosco. Para te estimular, mostrava-te os exemplares mais bonitos, julgando que eras uma menina como as outras: «Olha para aquele *cocker*», dizia. Ou então: «O que te parece aquele *lassie*?» Respondias com uma espécie de grunhido e continuavas a andar, sem a ouvir.

Foi no terceiro dia daquela via-sacra que encontrámos o *Buck*. Estava numa das jaulas das traseiras, onde alojavam os cães convalescentes. Quando chegámos diante da grade, em vez de correr para nós, como todos os outros, ficou sentado no seu lugar e nem sequer levantou a cabeça. «Aquele», exclamaste tu, apontando com um dedo. «Quero aquele cão, ali». Lembras-te da cara estarrecida da mulher? Não conseguia perceber porque querias ficar com aquele cachorro tão feio. Sim, porque o Buck era pequeno de tamanho, mas, na sua pequenês, estavam incluídas quase todas as raças do mundo. A cabeça de lobo, as orelhas moles e baixas de cão de caça, as patas ágeis de um baixote, a cauda vaporosa de um raposinho e a pelagem negra e fulva de um *dobermann*. Quando fomos ao escritório para assinar os papéis, a empregada contou-nos a sua história. Tinha sido atirado de um carro, no início do Verão. No voo ferira-se gravemente e era por isso que uma das patas de trás pendia como morta.

Agora, o *Buck* está aqui, ao meu lado. Enquanto escrevo, suspira de vez em quando e aproxima a ponta do nariz da minha perna. Já há algum tempo que o focinho e as orelhas estão quase brancos, nos olhos já se lhe pousou aquele véu que se pousa sempre sobre os olhos dos cães velhos. Comovo-me ao vê-lo. É como se aqui, ao meu lado, estivesse uma parte de ti, a parte que mais amo, aquela que, há muitos anos, soube escolher o hóspede mais infeliz e mais feio dos duzentos que havia no canil.

Durante os últimos meses, enquanto andava a vaguear pela solidão da casa, os anos de incompreensão e mau-humor da nossa convivência foram desaparecendo. As recordações que há à minha volta são recordações de quando eras criança, cachorrinho vulnerável e perdido. É a essa criança que escrevo, não à pessoa fechada e arrogante dos últimos tempos. Sugeriu-mo a rosa. Esta manhã, quando passei junto dela, disse-me: «Pega num papel e escreve-lhe uma carta». Sei que um dos pactos que fizemos no momento da tua partida era não nos escrevermos, e é a custo que o respeito. Estas linhas nunca irão ter contigo à América. Se eu já cá não estiver quando regressares, estarão aqui, à tua espera. Porque é que digo isto? Porque há menos de um mês, pela primeira vez na minha vida, estive gravemente doente. Por isso, agora sei que entre todas as coisas possíveis há também esta: daqui a seis ou sete meses, poderei já não estar cá para te abrir a porta, para te abraçar. Há algum tempo que uma amiga me disse que a doença, quando atinge as pessoas que nunca sofreram de nada, manifesta-se de uma forma imediata e violenta. Foi exactamente o que se passou comigo: uma manhã, estava eu a regar a rosa, alguém apagou a luz de repente. Se a mulher do senhor Razman não me tivesse visto através da sebe que separa os nossos jardins, é quase certo que a esta hora estarias órfã. Órfã? É assim que se diz quando morre uma avó? Não tenho a certeza. Se calhar, os avós são considerados tão acessórios que não exigem um termo que especifique a sua perda. Dos avós não se é órfão nem viúvo. De uma forma natural, deixam-nos pelo caminho, como por distracção se deixam ficar, pelo caminho, os guarda-chuvas.

Quando acordei no hospital, não me lembrava de nada. De olhos ainda fechados, sentia que me tinham crescido uns bigodes longos e macios, bigodes de gato. Mal abri os olhos, vi que eram dois tubinhos de plástico; saíam-me do nariz e continuavam ao longo dos lábios. À minha volta, só havia máquinas estranhas. Uns dias depois, fui transferida para um quarto normal, onde já havia mais duas pessoas. Uma tarde, o senhor Razman e a mulher foram visitar-me. «Se ainda está viva», disse-me ele, «deve-o ao seu cão, que ladrava como um louco.»

Quando já tinha começado a levantar-me, apareceu no quarto um jovem médico que eu já tinha visto de outras vezes, durante as visitas. Pegou numa cadeira e sentou-se junto da minha cama. «Como não tem parentes que possam tomar medidas e decidir por si», disse-me ele, «tenho de lhe falar sem intermediários e com toda a sinceridade.» Falava, e enquanto falava, mais do que ouvi-lo, olhava-o. Tinha os lábios finos e, como sabes, nunca me agradaram as pessoas de lábios finos. Segundo dizia, o meu estado de saúde era tão grave que não me permitia regressar a casa. Deu-me o nome de dois ou três asilos com serviço de enfermagem para onde eu poderia ir viver. Pela minha expressão deve ter percebido qualquer coisa porque, de repente, acrescentou: «Não pense que é como os asilos de antigamente, agora é completamente diferente, há quartos cheios de luz e grandes jardins a toda a volta, onde se pode passear». «Doutor», perguntei-lhe eu, «conhece os esquimós?» «Claro que conheço», respondeu, levantando-se. «Pois é, sabe, eu quero morrer como eles», e como ele parecia não entender, acrescentei, «prefiro cair de borco no meio das abóboras da minha horta a viver mais um ano pregada a uma cama, num quarto de paredes brancas». Nessa altura, já ele estava à porta. Sorria, maldoso. «É o que dizem muitos», afirmou, antes de desaparecer, «mas, no último momento, vêm todos a correr ter connosco para os curarmos, e tremem como folhas.»

Três dias depois, assinei um papel ridículo em que declarava que, se por acaso morresse, a responsabilidade tinha sido minha e só minha. Entreguei-o a uma jovem enfermeira de cabeça pequena e duas enormes argolas de ouro nas orelhas e depois, com as minhas poucas coisas metidas num saco de plástico, fui até à paragem dos táxis.

Mal o *Buck* me viu aparecer na cancela, começou a andar às voltas como um louco; depois, para provar que estava feliz, devastou ladrando dois ou três canteiros. Dessa vez não tive coragem para me zangar com ele. Quando veio ter comigo com o nariz sujo de terra, disse-lhe: «Estás a ver, meu velho? Estamos outra vez juntos», e fiz-lhe cócegas atrás das orelhas.

Nos dias seguintes, pouco ou nada fiz. Depois do acidente, a parte esquerda do corpo já não obedece como outrora às minhas ordens. Sobretudo a mão tornou-se muito lenta. Mas como me irrita que seja ela a vencer, faço tudo para a utilizar mais do que a outra. Atei um fiozinho cor-de-rosa ao pulso, e assim, sempre que tenho de pegar numa coisa, lembro-me de usar a esquerda e não a direita. Enquanto o corpo funciona, não nos apercebemos do grande inimigo que ele pode ser; se cedemos na vontade de o contrariar mesmo por um instante, estamos perdidos.

Em todo o caso, e dada a minha reduzida autonomia, dei uma cópia das chaves à mulher do Walter. É ela quem vem visitar-me todos os dias e me traz tudo aquilo de que necessito.

Enquanto vou girando entre a casa e o jardim, penso em ti insistentemente, uma verdadeira obsessão. Já por várias vezes fui até ao telefone e levantei o auscultador com a intenção de te mandar um telegrama. No entanto, mal atendiam da central, decidia sempre não o fazer. À noite, sentada na poltrona — à minha frente, o vazio, e à minha volta, o silêncio — perguntava a mim mesma o que seria melhor. O que seria melhor para ti, claro, não para mim. Para mim, é claro que seria melhor ir-me embora tendo-te a meu lado. Tenho a certeza de que, se te tivesse avisado da minha doença, terias interrompido a tua estada na América e terias vindo imediatamente para cá. E depois? Depois, talvez eu vivesse mais três, quatro anos, se calhar numa cadeira de rodas, se calhar meio apatetada e tu, por dever, terias tratado de mim. Tê-lo-ias feito com dedicação mas, com o correr do tempo, essa dedicação ter-se-ia transformado em raiva, em rancor. Rancor porque os anos teriam passado e terias desperdiçado a tua juventude; porque o meu amor, com o efeito de um *boomerang*, teria metido a tua vida num beco sem saída. Era o que a voz que não queria telefonar-te dizia dentro de mim. Mal decidia que era ela quem tinha razão, uma voz oposta surgia de repente no meu espírito. O que te aconteceria, perguntava a mim mesma, se, ao abrires a porta, em vez de me encontrares a mim e ao *Buck*, todos contentes, encontrasses a casa vazia, desabitada há muito tempo? Existirá algo de mais terrível do que um regresso que não consegue cumprir-se totalmente? Se tivesses recebido um telegrama a avisar-te da minha morte, não pensarias numa espécie de traição? Numa ofensa? Como nos últimos meses tinhas sido muito malcriada comigo, eu castigava-te, indo-me embora sem te avisar. Isso não teria sido um *boomerang*, mas um turbilhão, acho que é quase impossível sobreviver a uma coisa dessas. O que devias dizer à pessoa querida fica para sempre dentro de ti; ela está ali, debaixo da terra, e tu não podes olhá-la nos olhos, abraçá-la, dizer-lhe o que ainda não lhe tinhas dito.

Os dias iam passando e eu não tomava nenhuma decisão. Depois, hoje de manhã, a sugestão da rosa. Escreve-lhe uma carta, um pequeno relato dos teus dias que continue a fazer-lhe companhia. E por isso aqui estou, na cozinha, com um velho caderno teu à minha frente, a mordiscar a caneta como uma criança que não sabe fazer os deveres. Um testamento? Não propriamente, mas algo que te acompanhe durante anos, algo que possas ler sempre que sintas necessidade de me ter junto de ti. Não tenhas medo, não quero fazer nenhum sermão nem entristecer-te, só quero tagarelar um pouco com a intimidade que antigamente nos ligava e que, nos últimos anos, perdemos. Como já vivi muito e deixei atrás de mim muitas pessoas, sei que os mortos pesam menos pela ausência do que por aquilo que — entre eles e nós — não foi dito.

Sabes, dei por mim a fazer o papel de mãe já um tanto entrada nos anos, na idade em que normalmente se é apenas avó. Isso teve muitas vantagens. Vantagens para ti, porque uma avó-mãe é sempre mais atenta e mais bondosa do que uma mãe-mãe, e vantagens para mim, porque, em vez de me imbecilizar como as mulheres da minha idade entre uma canasta e uma matiné no teatro, fui de novo arrastada com prepotência para o fluxo da vida. A certa altura, porém, algo se partiu. A culpa não era nem minha nem tua, era das leis da natureza.

A infância e a velhice são muito semelhantes. Em ambos os casos, por motivos diferentes, é-se bastante inerme. Ainda não — ou já não — se toma parte activa na vida e isso permite que se viva com uma sensibilidade sem esquemas, aberta. É durante a adolescência que uma couraça invisível começa a formar-se em volta do nosso corpo. Forma-se durante a adolescência e continua a engrossar durante toda a idade adulta. O processo do seu crescimento parece-se um pouco com o das pérolas, quanto maior e mais profunda é a ferida, mais forte é a couraça que se desenvolve em torno dela. Contudo, depois, à medida que o tempo vai passando, como um vestido que se usou durante muito tempo, essa couraça começa a gastar-se nas partes mais usadas, deixa ver a trama, e de repente, a um movimento mais brusco, rasga-se. De início não damos conta de nada, estamos convencidos de que a couraça ainda nos envolve totalmente, até que um dia, inesperadamente, por uma coisa estúpida, sem sabermos porquê, damos por nós a chorar como umas crianças.

Por isso, quando digo que entre mim e ti se intrometeu uma diferença natural, é precisamente isso que quero dizer. Na época em que a tua couraça começou a formar-se, a minha já estava em farrapos. Tu não suportavas as minhas lágrimas e eu não suportava a tua inesperada dureza. Embora estivesse preparada para o facto de o teu temperamento mudar com a adolescência, quando essa mudança ocorreu foi-me muito difícil suportá-la. De repente, havia uma pessoa nova diante de mim e eu já não sabia como devia tratar essa pessoa. À noite, na cama, no momento de assentar ideias, sentia-me feliz com o que se estava a passar contigo. Dizia para comigo, quem passa a adolescência ileso nunca virá a ser uma pessoa verdadeiramente adulta. Mas, de manhã, quando me batias com a porta na cara, que depressão, que vontade de chorar! Não conseguia encontrar em parte alguma a energia necessária para te fazer frente. Se um dia chegares aos oitenta anos, compreenderás que, nessa idade, as pessoas sentem-se como folhas em finais de Setembro. A luz do dia dura menos e a árvore começa lentamente a chamar a si as substâncias nutritivas. O azoto, a clorofila e as proteínas são sorvidas pelo tronco e com elas vai-se também o verde, a elasticidade. Ainda se está suspenso lá em cima, mas sabe-se que é por pouco tempo. Uma após outra, as folhas vizinhas vão caindo, vê-las cair, vives no terror de que o vento se erga. Para mim, o vento eras tu, a vitalidade conflituosa da tua adolescência. Alguma vez te apercebeste disso, minha querida? Vivemos na mesma árvore, mas em estações tão diferentes.

Lembro-me do dia da partida. Estávamos muito nervosas, não estávamos? Tu não quiseste que eu fosse contigo ao aeroporto, e a cada coisa que eu te dizia para levar, respondias: «Vou para a América, não vou para o deserto». À porta, quando te gritei com a minha voz odiosamente estridente: «Tem cuidado contigo», sem sequer te voltares, despediste-te, dizendo: «Trata bem do *Buck* e da rosa».

Na altura, sabes, fiquei um tanto desiludida com essa despedida. Como velha sentimental que sou, esperava uma coisa diferente e mais banal, um beijo ou uma frase afectuosa. Só à noite, quando, sem conseguir adormecer, andava de roupão pela casa vazia, é que percebi que tratar do *Buck* e da rosa queria dizer cuidar daquela parte de ti que continua a viver junto de mim, a parte feliz de ti. E percebi que, na secura daquela ordem, não havia insensibilidade, mas a tensão extrema de uma pessoa que está quase a chorar. É a couraça de que falava há pouco. Ainda a tens, e tão apertada que quase não respiras. Lembras-te do que eu te dizia nos últimos tempos? As lágrimas que não saem depositam-se no coração, com o passar do tempo vão formando uma crosta e paralisam-no, como o calcário se encrosta e paralisa as engrenagens da máquina de lavar.

Bem sei que os meus exemplos extraídos do universo da cozinha, em vez de te fazerem rir, fazem-te bufar de raiva. Tem paciência: cada pessoa vai buscar inspiração ao mundo que conhece melhor.

Agora, tenho de te deixar. O *Buck* suspira e olha-me com uns olhos implorantes. A regularidade da natureza também se manifesta nele. Seja qual for a estação, sabe que chegou a hora de comer com a precisão de um relógio suíço.

18 de Novembro

Esta noite, choveu muito. Era uma chuva tão violenta que acordei por várias vezes com o ruído que fazia ao bater nas persianas. De manhã, quando abri os olhos, convencida de que o tempo ainda estava mau, fiquei a aboborar durante muito tempo entre os cobertores. Como as coisas mudam com os anos! Quando tinha a tua idade, dormia como uma pedra, se ninguém me perturbasse era capaz de dormir até à hora do almoço. Agora, porém, antes da madrugada já estou acordada. Assim, os dias tornam-se muito longos, intermináveis. Há uma certa crueldade em tudo isto, não achas? As horas da manhã são as mais terríveis, não há nada que nos ajude a distrair, está-se para ali e sabe-se que os pensamentos só podem andar para trás. Os pensamentos de um velho não têm futuro, na sua maioria são tristes, melancólicos. Interroguei-me muitas vezes a mim mesma acerca dessa esquisitice da natureza. Outro dia, vi na televisão um documentário que me fez pensar. Era sobre os sonhos dos animais. Na hierarquia zoológica, dos pássaros para cima, todos os animais sonham muito. Sonham os melharucos e os pombos, os esquilos e os coelhos, os cães e as vacas deitadas nos prados. Todos sonham, mas não do mesmo modo. Os animais que, por natureza, são sobretudo presas têm sonhos breves, não são bem sonhos, são aparições. Os predadores, pelo contrário, têm sonhos complicados e longos. «Para os animais», dizia o locutor, «a actividade onírica é uma forma de organizar as estratégias de sobrevivência, quem caça tem de criar formas sempre novas de arranjar comida, quem é caçado — e costuma comer a erva que encontra à sua frente — só tem de pensar no modo mais rápido de fugir.» Em suma, o antílope, quando está a dormir, vê diante dele a savana aberta; o leão, pelo contrário, numa constante e variada repetição de cenas, vê tudo o que terá de fazer para conseguir comer o antílope. Deve ser assim, disse então para comigo, quando se é jovem, é-se carnívoro, e quando se é velho, herbívoro. Porque os velhos, para além de dormirem pouco, não sonham, ou se sonham não se lembram do que sonharam. Quando se é criança ou jovem, aí sim, sonha-se muito e os sonhos têm o poder de definir o humor do dia. Lembras-te das crises de choro que tinhas, nos últimos meses, logo ao acordar? Ficavas para ali sentada diante da chávena de café, e as lágrimas caíam-te silenciosas pelas faces. «Porque é que estás a chorar?» perguntava-te eu então, e tu, desolada ou furiosa, respondias: «Não sei.» Na tua idade, há muitas coisas a organizar intimamente, há projectos e, nos projectos, inseguranças. A parte inconsciente não possui uma ordem ou uma lógica clara, mistura as aspirações mais profundas aos resíduos do dia, empolados e disformes, e introduz as necessidades do corpo entre as aspirações mais profundas. Assim, se se tem fome, sonha-se que se está sentado à mesa e não se consegue comer, se se tem frio, sonha-se que se está no Pólo Norte e não se tem casaco, se alguém foi grosseiro connosco, convertemo-nos em guerreiros sedentos de sangue.

Que sonhos tens tu aí, no meio dos cactos e dos *cow-boys*? Gostava muito de saber. Quem sabe se, de tempos a tempos, não apareço lá no meio, talvez vestida de pele-vermelha? Ou o *Buck*, disfarçado de coiote? Tens saudades? Lembras-te de nós?

Sabes, ontem à noite, enquanto estava a ler sentada na poltrona, ouvi de repente no quarto um ruído compassado, ergui a cabeça do livro e vi o *Buck* que, enquanto dormia, ia batendo com a cauda no chão. Pela expressão ditosa do focinho, tenho a certeza de que te estava a ver diante dele, talvez tivesses acabado de chegar e ele estava a dar-te as boas-vindas ou então estava a lembrar-se de algum passeio particularmente bonito que tenhas dado com ele. Os cães são tão permeáveis aos sentimentos humanos, com a convivência desde a noite dos tempos tornámo-nos quase iguais. Por isso há tantas pessoas que os detestam. Vêem demasiadas coisas de si mesmas reflectidas no seu olhar terno e humilde, coisas que preferiam ignorar. Neste momento, o *Buck* sonha muitas vezes contigo. Eu não consigo, ou talvez sim, mas não consigo lembrar-me.

Quando era pequena, viveu durante algum tempo em nossa casa uma irmã do meu pai, que tinha ficado viúva há pouco tempo. Era uma apaixonada pelo espiritismo e quando os meus pais não nos estavam a ver, nos cantos mais escuros e escondidos, falava-me dos poderes extraordinários da mente. «Se queres entrar em contacto com uma pessoa que está longe», dizia-me ela, «tens de pegar numa fotografia dessa pessoa, fazer uma cruz dando três passos e depois dizer: estou aqui.» Assim, dizia ela, poderia comunicar telepaticamente com a pessoa desejada.

Foi o que fiz esta tarde, antes de começar a escrever. Deviam ser umas cinco horas, para esses lados já devia ser manhã. Viste-me? Ouviste-me? Eu vi-te num daqueles bares cheios de luzes e de ladrilhos onde se comem pãezinhos com almôndegas dentro, descobri-te logo no meio daquela multidão colorida porque trazias a última camisola que eu te fiz, aquela que tem os veados vermelhos e azuis. Mas a imagem foi tão breve e pareceu-se tanto com as dos telefilmes que não tive tempo para ver a expressão dos teus olhos. És feliz? Isso é o que mais me interessa.

Lembras-te de quantas discussões tivemos para decidir se era justo ou não que eu financiasse essa tua longa estada no estrangeiro? Tu afirmavas que te era absolutamente necessária, que, para cresceres e aumentares os teus conhecimentos, precisavas de te ir embora, de deixar o ambiente asfixiante em que tinhas crescido. Mal terminaras o liceu e andavas às cegas, na escuridão mais completa, sem saber o que gostarias de fazer quando fosses grande. Em criança tinhas muitas paixões: querias ser veterinária, exploradora, médica das crianças pobres. Nenhum destes desejos deixou o mais pequeno rasto. Com os anos, a disponibilidade que tinhas manifestado para com teus semelhantes foi desaparecendo; tudo o que era filantropia, desejo de comunhão, depressa se transformou em cinismo, solidão, concentração obsessiva no teu infeliz destino. Se por acaso a televisão dava alguma notícia particularmente cruel, rias-te da compaixão das minhas palavras, dizendo: «Na tua idade de que te admiras? Ainda não sabes que o que governa o mundo é a selecção da espécie?»

Das primeiras vezes, perante observações destas, ficava sem fôlego, parecia-me que tinha um monstro junto de mim; observando-te pelo canto do olho, perguntava a mim mesma de donde terias tu saído, se era isso que eu te tinha ensinado com o meu exemplo. Nunca te respondi, mas pressentia que o tempo do diálogo terminara, que, fosse o que fosse que eu dissesse, só poderia haver discussão. Por um lado, tinha medo da minha fragilidade, da inútil perda de forças, por outro, pressentia que o que tu querias era precisamente o conflito aberto, que a seguir ao primeiro haveria outros, cada vez mais, cada vez mais violentos. Sob as tuas palavras sentia fervilhar a energia, uma energia arrogante, prestes a explodir e contida a custo; a forma como eu limava as arestas, a minha indiferença fingida perante os teus ataques obrigaram-te a procurar outros caminhos.

Então ameaçaste-me de te ires embora, de desapareceres da minha vida sem dar mais notícias. Se calhar estavas à espera do desespero, das súplicas humildes de uma velha. Quando te disse que partir seria uma óptima ideia, começaste a hesitar, parecias uma serpente que, de cabeça bruscamente erguida, goelas abertas e pronta a ferir, deixa, de súbito, de ver a presa à sua frente. E começaste a pactuar, a fazer propostas, propostas diversas e vagas, até ao dia em que, com uma nova segurança, diante da chávena de café, me anunciaste: «Vou para a América.»

Acolhi essa decisão como acolhi as outras, com um interesse simpático. Não queria, com a minha aprovação, obrigar-te a fazer opções apressadas, que não sentias profundamente. Nas semanas seguintes, continuaste a falar-me da ideia da América. «Se for para lá um ano», repetias, obcecada, «pelo menos, aprendo uma língua e não perco tempo.» Ficavas terrivelmente irritada quando te fazia notar que perder tempo não é nada de grave. O máximo da irritação, porém, atingiste-o quando te disse que a vida não é uma corrida, mas um tiro ao alvo: o que conta não é a poupança de tempo, mas a capacidade de se descobrir um centro. Havia duas chávenas em cima da mesa que, de repente, fizeste voar, varrendo-as com um braço, depois desataste a chorar. «És uma estúpida», dizias, escondendo o rosto com as mãos. «És uma estúpida. Não percebes que é mesmo isso que eu quero?» Durante semanas fomos como dois soldados que, depois de terem enterrado uma mina num campo, tomam todas as precauções para não lhe passarem por cima. Sabíamos onde ela estava, como ela era, e passávamos ao lado, fingindo que a coisa a temer era outra. Quando deflagrou e tu soluçavas dizendo-me não percebes nada, nunca perceberás nada, tive de fazer um esforço enorme para não te revelar a minha confusão. Nunca te falei da tua mãe, do modo como te concebeu, da sua morte, e o facto de o calar levou-te a acreditar que, para mim, nada disso existia, que era pouco importante. Mas a tua mãe era minha filha, talvez não te tenhas apercebido disso. Ou talvez sim, mas em vez de o dizeres, guarda-lo ciosamente dentro de ti, de outra forma não posso explicar alguns dos teus olhares, certas palavras carregadas de ódio. Da tua mãe, à parte o vazio, não tens outras recordações: eras ainda demasiado pequena no dia em que morreu. Mas eu, eu guardo na memória trinta e três anos de recordações, trinta e três anos mais os nove meses em que a trouxe no ventre.

Como podes pensar que isso me deixa indiferente?

Se não fui a primeira a falar desse assunto, foi apenas por pudor e por uma boa dose de egoísmo. Pudor, porque era inevitável que, ao falar dela, tivesse de falar de mim, das minhas culpas verdadeiras ou presumíveis; egoísmo, porque esperava que o meu amor fosse tão grande que cobrisse a falta do seu, que te impedisse um dia de teres saudades dela e de me perguntares: «Quem era a minha mãe, porque morreu?»

Enquanto foste criança, éramos felizes juntas. Tu eras uma miúda muito alegre, mas na tua alegria não havia nada de superficial, de esperado. Era uma alegria sobre a qual pairava sempre a sombra da reflexão, passavas das gargalhadas para o silêncio com uma facilidade surpreendente. «O que é, em que estás a pensar?» perguntava-te eu então, e tu, como se falasses da merenda, respondias-me: «Penso se o céu acaba ou se continua em frente, para sempre». Sentia-me orgulhosa por seres assim, a tua sensibilidade parecia-se com a minha, não me sentia uma pessoa crescida ou distante, mas ternamente cúmplice. Enganava-me, queria convencer-me de que iria ser assim para sempre. Mas infelizmente não somos seres suspensos em bolas de sabão, que vagueiam felizes pelos ares; nas nossas vidas há um antes e um depois, e esse antes e esse depois são uma ratoeira para os nossos destinos, pousam-se sobre nós como uma rede se pousa sobre a presa. Diz-se que as culpas dos pais recaem sobre os filhos. É verdade, é bem verdade, as culpas dos pais recaem sobre os filhos, as dos avós recaem sobre os netos, as dos bisavós recaem sobre os bisnetos. Há verdades que geram um sentimento de libertação e há outras que nos fazem sentir algo de horrendo. Esta pertence à segunda categoria. Até onde vai a cadeia das culpas? Até Caim? Será possível que tudo tenha de remontar a tempos tão longínquos? Haverá algo por detrás de tudo isto? Um dia, li num livro indiano que o destino possui todo o poder e que o esforço da vontade não passa de um pretexto. Depois de o ter lido, uma grande paz desceu sobre a minha alma. Todavia, no dia seguinte, umas páginas mais à frente, li que o destino é apenas o resultado das acções passadas, e que somos nós, com as nossas mãos, que forjamos o nosso próprio destino. E voltei ao ponto de partida. Onde estará a solução de tudo isto, perguntei-me. Qual será o fio que se doba? Será um fio ou uma cadeia? Poderá cortar-se, partir-se, ou envolve-nos para sempre?

Entretanto, quem corta sou eu. A minha cabeça já não é o que era, as ideias continuam a lá estar, claro, o que mudou não foi a forma de pensar, mas a capacidade de aguentar um esforço prolongado. Estou cansada, sinto a cabeça a andar à roda como quando era rapariga e tentava ler um livro de Filosofia. Ser, não ser, imanência... depois de ler algumas páginas, sentia-me tão atordoada como se andasse a viajar de camioneta por estradas de montanha. Deixo-te por agora, vou estupidificar-me mais um pouco diante daquela amada odiada caixinha que está na sala-de-estar.

20 de Novembro

De novo aqui, terceiro dia do nosso encontro. Ou melhor, quarto dia e terceiro encontro. Ontem, estava tão cansada que não consegui escrever nada, nem ler. Como estava inquieta e não sabia o que fazer, andei todo o dia entre a casa e o jardim. O ar estava bastante ameno e nas horas de maior calor sentei-me no banco ao pé da forsítia. À minha volta, a relva e os canteiros estavam na mais absoluta desordem. Ao vê-los, veio-me à ideia a zaragata que houve por causa das folhas caídas. Quando foi? No ano passado? Há dois anos? Eu tinha estado com uma bronquite que custava a passar, as folhas estavam todas em cima da relva, rodopiavam de um lado para o outro, arrastadas pelo vento. Ao debruçar-me da janela, senti uma grande tristeza, o céu estava escuro, havia um grande ar de abandono lá fora. Fui ter contigo ao quarto, estavas deitada na cama com os auscultadores colados aos ouvidos. Pedi-te por favor para pegares no ancinho e limpares as folhas. Para me fazer ouvir, tive de repetir a frase por várias vezes, cada vez mais alto. Encolheste os ombros, perguntando: «Porquê? Na Natureza ninguém as apanha, ficam para ali a apodrecer e assim é que deve ser». Nessa época, a Natureza era a tua grande aliada, conseguias justificar tudo com as suas leis inabaláveis. Em vez de te explicar que um jardim é uma natureza domesticada, uma natureza-cão que, de ano para ano, se vai parecendo cada vez mais com o dono e que, tal como um cão, precisa constantemente de cuidados, fui para a sala de estar sem dizer mais nada. Pouco depois, quando passaste à minha frente para ires buscar qualquer coisa ao frigorífico, viste que estava a chorar, mas não fizeste caso. Só à hora de jantar, quando saíste mais uma vez do quarto e perguntaste «o que é que se come?», é que reparaste que eu ainda estava no mesmo sítio e que ainda estava a chorar. Então, foste para a cozinha e começaste a mexer nas panelas. «O que preferes», gritavas da cozinha para a sala de estar, «um pudim de chocolate ou uma omeleta?» Tinhas compreendido que a minha dor era verdadeira e tentavas ser simpática, agradar-me de qualquer forma. Na manhã seguinte, mal abri as portadas da janela, vi-te na relva, chovia muito, estavas com o impermeável amarelo e apanhavas as folhas. Aí pelas nove horas, quando voltaste para casa, fingi que nada se tinha passado, sabia que o que mais detestavas era aquela parte de ti que te levava a ser boa.

Esta manhã, ao olhar desolada para os canteiros do jardim, pensei que vou ter de chamar alguém para acabar com o desleixo em que me deixei cair durante e depois da doença. Penso nisso desde que saí do hospital, mas nunca me resolvo a fazê-lo. Com o passar dos anos fui-me tornando muito ciosa do meu jardim, não renunciarei por nada deste mundo a regar as dálias, a tirar de um ramo uma folha seca. É estranho porque, quando era rapariga, aborrecia-me muito cuidar dele: ter um jardim parecia-me mais uma maçada do que um privilégio. De facto, bastava que a atenção diminuísse por um dia ou dois para que, de repente, sobre aquela ordem tão cansativamente alcançada, surgisse de novo a desordem, e se havia alguma coisa que me aborrecia era a desordem. Não possuía um centro dentro de mim, por isso não suportava ver no exterior aquilo que havia cá dentro. Devia ter-me lembrado disso quando te pedi para apanhares as folhas!

Há coisas que só se podem compreender quando se tem uma certa idade: entre elas, a relação com a casa, com tudo o que está dentro dela e em volta dela. De repente, aos sessenta, setenta anos, compreende-se que o jardim e a casa já não são um jardim e uma casa onde se viveu por comodidade, por acaso ou por ser bonito, mas o nosso jardim e a nossa casa, que nos pertencem como a concha pertence ao molusco que vive no seu interior. Formámos a concha com as nossas secreções, a nossa história está gravada nas suas volutas, a casa-casca envolve-nos, está por cima de nós, à nossa volta, talvez nem mesmo a morte a liberte da nossa presença, das alegrias e dos sofrimentos que sentimos dentro dela.

Ontem à noite, como não me apetecia ler, vi televisão. Mais do que ver, para falar verdade, ouvi, porque nem passada uma meia hora de programa passei pelo sono. Ouvia as palavras de tempos a tempos, um pouco como quando se vai no comboio e se fecha os olhos e os discursos dos outros viajantes chegam até nós, intermitentes e sem sentido. Estavam a transmitir um inquérito jornalístico sobre as seitas de finais do milénio. Havia diversas entrevistas a santões verdadeiros e fingidos e no meio do seu rio de palavras a palavra «karma» chegou-me por várias vezes aos ouvidos. Mal a ouvi, lembrei-me da cara do meu professor de filosofia do liceu.

Era jovem e muito anticonformista para a época. Quando explicou Schopenhauer, falou-nos um pouco das filosofias orientais e, ao falar delas, referiu-se ao conceito de *karma*. Nessa altura, não prestei muita atenção ao assunto, a palavra e o que ela exprimia tinham-me entrado por um ouvido e saído pelo outro. Durante muitos anos só ficou em mim a sensação de que era uma espécie de lei de Talião, algo do tipo «olho por olho, dente por dente» ou «quem as faz, paga-as». Só quando a directora do jardim-escola me chamou para me falar dos teus estranhos comportamentos é que o *karma* — e o que a ele está ligado — me voltou à ideia. Tinhas posto em alvoroço a escola toda. De repente, durante a hora dedicada aos temas livres, tinhas desatado a falar da tua vida anterior. Primeiro, as professoras pensaram que se tratava de uma excentricidade infantil. Ao ouvirem a tua história, tentaram minimizar, fazer-te cair em contradição. Mas tu não caíste, e até pronunciaste palavras numa língua que ninguém conhecia. Quando isso se repetiu pela terceira vez, a directora chamou-me ao jardim-escola. Para teu bem e para bem do teu futuro, aconselharam-me a levar-te a um psicólogo. «Com o trauma que teve», dizia ela, «é normal que se porte assim, que tente evadir-se da realidade.» Claro que nunca te levei ao psicólogo, parecias-me uma criança feliz, era mais levada a acreditar que essa tua fantasia não provinha de um mal-estar presente mas de uma ordem diferente das coisas. Depois disso, nunca te obriguei a falar-me do caso, nem tu, por tua iniciativa, sentiste necessidade de o fazer. Talvez te tenhas esquecido de tudo no próprio dia em que o disseste diante das professoras estarrecidas.

Tenho a sensação de que, nestes últimos anos, passou a estar muito na moda falar dessas coisas; antigamente, eram assuntos para alguns eleitos, mas agora andam na boca de toda a gente. Há já algum tempo li num jornal que, na América, até existem grupos de autoconsciência em torno da reencarnação. As pessoas reúnem-se e falam das suas existências anteriores. Assim, a dona-de-casa diz: «No século XIX, era prostituta em New Orleans, por isso, agora não consigo ser fiel ao meu marido», enquanto o gasolineiro racista afirma que o seu ódio é devido ao facto de ter sido devorado pelos bantus durante uma expedição, no século XVI. Que tristes imbecilidades! Perdidas as raízes culturais, procura-se remendar a monotonia e a incerteza do presente com as existências passadas. Se o ciclo das vidas tem algum sentido, creio que é um sentido muito diferente.

Na época dos acontecimentos no jardim-escola, arranjei uns livros, para te compreender melhor tentei saber algo mais sobre o assunto. Num desses ensaios, dizia-se que as crianças que recordam com precisão a sua vida anterior são as que morrem precocemente e de uma forma violenta. Certas obsessões inexplicáveis à luz das tuas experiências de criança — o gás a sair dos tubos, o medo de que tudo pudesse explodir de um momento para o outro — faziam-me inclinar para este tipo de explicação. Quando estavas cansada, ansiosa ou a dormir, eras invadida por terrores irracionais. O que te atemorizava não era o homem de negro, as bruxas ou os lobisomens, era o medo inesperado de que o universo das coisas explodisse de um momento para o outro. Nas primeiras vezes, quando aparecias aterrorizada no meu quarto, a meio da noite, levantava-me e com palavras ternas levava-te de novo para o teu. Aí, deitada na cama, agarrando-me na mão, querias que te contasse histórias que acabassem bem. Receando que eu dissesse qualquer coisa de terrível, contavas-me primeiro a intriga de fio a pavio, e eu limitava-me a repetir servilmente as tuas instruções. Repetia a história uma, duas, três vezes: quando me levantava para voltar para o meu quarto, convencida de que estavas mais calma, a tua voz chorosa chegava até mim, já perto da porta: «Está bem assim?» perguntavas, «é verdade que acaba sempre assim?» Então, eu voltava para trás, beijava-te na testa e ao beijar-te dizia: «Não pode acabar de outra maneira, minha querida, juro-te.»

Outras noites, porém, embora não estivesse de acordo em que dormisses comigo — dormir com os velhos não faz bem às crianças — não tinha coragem para te meter outra vez na tua cama. Mal sentia a tua presença junto da mesinha-de-cabeceira, sem me voltar, tranquilizava-te: «Está tudo sob controlo, nada vai explodir, volta para o teu quarto». Depois, fingia mergulhar num sono imediato e profundo. Então ouvia a tua respiração muito leve, por uns instantes imóvel, pouco depois a borda da cama rangia baixinho, com movimentos cautelosos deslizavas para junto de mim e adormecias exausta como um ratinho que, após um grande susto, regressa ao calor da sua toca. De madrugada, para participar no jogo, pegava-te ao colo, morna, abandonada, e levava-te para o teu quarto, para acabares de dormir. Ao acordares, era muito raro lembrares-te de alguma coisa, estavas quase sempre convencida de que tinhas passado a noite toda na tua cama.

Quando esses ataques de pânico ocorriam durante o dia, falava-te com ternura. «Não vês como a casa é forte», dizia-te, «vê só como as paredes são grossas, como queres que possam explodir?» Mas os meus esforços para te tranquilizar eram totalmente inúteis, de olhos arregalados continuavas a olhar para o vazio à tua frente, repetindo: «Tudo pode explodir». Nunca deixei de me interrogar acerca desse teu terror. O que seria essa explosão? Seria a recordação da tua mãe, do seu fim trágico e inesperado? Ou pertencia àquela vida que com tão insólita ligeireza tinhas narrado às professoras do jardim-escola? Ou seriam as duas coisas ao mesmo tempo, misturadas num qualquer lugar inacessível da tua memória? Sabe-se lá. Apesar do que se diz, julgo que na cabeça do homem continua a haver mais sombras do que luz. Contudo, no livro que comprei dessa vez, também se dizia que há muito mais crianças que recordam outras vidas na Índia e no Oriente, nos países onde a própria ideia de outras vidas é tradicionalmente aceite. Não me custa nada a acreditar. Imagina só o que aconteceria se, um dia, eu fosse ter com a minha mãe e, sem qualquer pré-aviso, tivesse começado a falar numa outra língua, ou que lhe tivesse dito: «Não te suporto, estava muito melhor com a minha mãe na outra vida.» Podes ter a certeza de que ela não esperava nem um dia para me meter num manicómio.

Existirá uma fresta por onde possamos libertar-nos do destino que nos é imposto pelo ambiente de origem, de tudo o que os nossos antepassados nos transmitiram pela via do sangue? Talvez. Quem sabe se, a certa altura, alguém não consegue entrever, na sequência claustrofóbica das gerações, um degrau mais alto e com todas as suas forças tenta lá chegar? Quebrar um anel, fazer entrar no quarto um ar diferente, aí tens o minúsculo segredo do ciclo das vidas. Minúsculo, mas muito fatigante, terrível pela sua incerteza.

A minha mãe casou-se aos dezasseis anos; quando eu nasci, tinha dezassete. Em toda a minha infância, ou melhor, em toda a minha vida, nunca a vi fazer um único gesto afectuoso. O seu casamento não foi um casamento de amor. Ninguém a tinha obrigado, a decisão tinha sido dela porque, como era rica mas judia e ainda por cima convertida, o que mais ambicionava era possuir um título de nobreza. O meu pai, mais velho do que ela, barão e melómano, tinha-se apaixonado pelos seus dotes de cantora. Depois de terem procriado o herdeiro que o bom nome exigia, viveram imersos em zangas e vinganças até ao fim dos seus dias. A minha mãe morreu insatisfeita e cheia de rancor, sem nunca ter tido a mais pequena dúvida de que ao menos uma parte da culpa era dela. O mundo é que era cruel porque não lhe tinha proporcionado opções melhores. Eu era muito diferente dela, e aos sete anos, já sem aquela dependência da primeira infância, comecei a não a suportar.

Sofri muito por causa dela. Passava a vida a andar de um lado para o outro e sempre e só devido a causas externas. A sua presumível «perfeição» fazia-me sentir má, e a solidão era o preço da minha maldade. De início, fazia algumas tentativas para poder ser como ela, mas eram tentativas desajeitadas que falhavam sempre. Quanto mais me esforçava, pior me sentia. A auto-renúncia conduz ao desprezo. Do desprezo à raiva o passo é pequeno. Quando percebi que o amor da minha mãe era algo que tinha apenas a ver com a aparência, com aquilo que eu devia ser e não com o que eu era de facto, comecei a odiá-la, no segredo do meu quarto e do meu coração.

Para não ceder a esse sentimento, refugiei-me num mundo muito meu. À noite, na cama, escondendo a luz com um pano, lia livros de aventuras até altas horas. Gostava muito de fantasiar. Durante algum tempo, sonhei que era pirata, vivia no mar da China e era uma pirata muito especial, porque não roubava para mim, mas para dar tudo aos pobres. Das fantasias com bandidos passava para as filantrópicas, pensava licenciar-me em Medicina e partir para África, para tratar dos pretinhos. Aos catorze anos, li a biografia de Schliemann e percebi que nunca por nunca poderia tratar das pessoas, porque a minha única e verdadeira paixão era a arqueologia. De todas as infinitas actividades que imaginei vir a exercer, creio que essa era a única verdadeiramente minha.

De facto, para concretizar esse sonho, travei a primeira e única batalha com o meu pai: ir para Clássicas. Ele nem queria ouvir falar nisso, dizia que não servia para nada, que, se realmente eu queria estudar, era melhor aprender línguas. Seja como for, acabei por vencer. Quando transpus o limiar do portão do liceu, tinha a certeza absoluta de que vencera. Enganava-me. No final dos estudos, quando comuniquei a minha intenção de ir para a Universidade, para Roma, a sua resposta foi peremptória: «Nem é bom falar disso». E eu, como então era costume, obedeci sem dizer palavra. Nunca se deve acreditar que vencer uma batalha significa que se venceu a guerra. É um erro de juventude. Agora, ao pensar nisso, acho que, se tivesse lutado, se tivesse teimado, o meu pai teria acabado por ceder. A sua recusa categórica fazia parte do sistema educativo da época. No fundo, pensava-se que os jovens não eram capazes de tomar decisões próprias. Por conseguinte, quando manifestavam alguma vontade diferente, tentava-se pô-los à prova. Como eu tinha capitulado ao primeiro obstáculo, tinham considerado mais do que evidente que não se tratava de uma verdadeira vocação mas de um desejo passageiro.

Para o meu pai, e para a minha mãe, os filhos eram, em primeiro lugar, um dever mundano. A indiferença que sentiam pelo nosso desenvolvimento interior igualava a extrema rigidez com que tratavam os aspectos mais banais da educação. Tinha de me sentar direita à mesa, com os cotovelos colados ao corpo. Se, ao fazê-lo, só pensava na melhor forma de me matar, isso não tinha qualquer importância. A aparência era tudo, para além dela só existiam coisas inconvenientes.

Assim, cresci com a sensação de que era algo semelhante a uma macaca que devia ser bem domesticada e não um ser humano, uma pessoa, com as suas alegrias, os seus desânimos, a sua necessidade de ser amada. Esse mal-estar depressa gerou dentro de mim uma grande solidão, uma solidão que com o passar dos anos se foi tornando enorme, uma espécie de vácuo onde eu me movia com os gestos lentos e desajeitados de um mergulhador. A solidão também nascia das perguntas, das perguntas que fazia a mim mesma e às quais não sabia responder. Já aos quatro, cinco anos olhava à minha volta e pensava: «Porque estou eu aqui? Donde é que vim, de onde vêm todas as coisas que vejo à minha volta, o que há atrás delas, terão estado sempre aqui, mesmo quando eu não estava, estarão sempre?» Fazia a mim própria todas as perguntas que fazem as crianças sensíveis quando começam a tomar consciência da complexidade do mundo. Estava convencida de que os adultos também as faziam, que eram capazes de responder, mas, após duas ou três tentativas com a minha mãe e com a ama, percebi não só que não sabiam responder, mas também que nunca as tinham feito a si mesmas.

Assim foi aumentando a sensação de solidão, compreendes, para resolver todos os enigmas só podia contar com as minhas forças,

28

quanto mais o tempo ia passando, mais perguntas fazia acerca de tudo, eram perguntas cada vez maiores, cada vez mais terríveis, ficava aterrorizada só de pensar nelas.

Por volta dos seis anos tive o primeiro encontro com a morte. O meu pai tinha um cão de caça, o Argo; era um cão manso e afectuoso, o meu companheiro de jogos predilecto. Durante tardes inteiras, enchia-o de papas de lama e de ervas, ou obrigava-o a fingir que era uma cliente do meu cabeleireiro, e ele, sem se revoltar, andava pelo jardim com as orelhas cheias de ganchos. Um dia, porém, estava eu a fazer-lhe um novo tipo de penteado, reparei que tinha um inchaço na garganta. Já há algumas semanas que não lhe apetecia correr e saltar como antigamente, e se eu me punha a um canto a comer a merenda, já não se plantava à minha frente a suspirar, à espera.

Uma manhã, ao regressar da escola, não o vi à minha espera no portão. De início, pensei que tivesse ido a qualquer lado com o meu pai. Mas quando vi o meu pai sentado tranquilamente no escritório e sem o Argo a seus pés, senti dentro de mim uma grande agitação. Saí e gritando como uma possessa chamei-o por todo o jardim, voltei para dentro por duas ou três vezes e vasculhei a casa de alto a baixo. À noite, quando fui dar aos meus pais o inevitável beijo de boas-noites, armei-me de toda a minha coragem e perguntei ao meu pai: «Onde está o Argo?» «O Argo», respondeu ele sem desviar os olhos do jornal, «o Argo foi-se embora.» «E porquê?» perguntei eu. «Porque estava farto das tuas maldades.»

Indelicadeza? Superficialidade? Sadismo? O que havia naquela resposta? No mesmo instante em que ouvi aquelas palavras, houve algo dentro de mim que se rompeu. Comecei a não dormir de noite, de dia, bastava um pequeno nada para desatar a soluçar. Passado um mês ou dois, chamaram o pediatra. «A miúda está com um esgotamento», disse ele, e receitou-me óleo de fígado de bacalhau. E ninguém me perguntou porque não dormia, porque andava sempre de um lado para o outro, com a bola roída do Argo.

É a esse episódio que faço remontar a minha entrada na idade adulta. Aos seis anos? Sim, aos seis anos. O Argo tinha-se ido embora porque eu tinha sido má, portanto, o meu comportamento influía no que estava à minha volta. Influía, fazendo desaparecer, destruindo.

A partir desse momento, as minhas acções deixaram de ser neutras, independentes. Com o terror de cometer mais um erro, fui-as reduzindo ao mínimo, tornei-me apática, hesitante. À noite, apertava a bola do Argo nas mãos e chorava, dizendo: «Argo, por favor, volta, mesmo se fiz mal, gosto mais de ti do que todos.» Quando o meu pai levou lá para casa outro cachorro, nem sequer quis olhar para ele. Para mim era, e foi sempre, um perfeito estranho.

O que imperava na educação das crianças era a hipocrisia. Recordo-me muito bem de que um dia, andava eu a passear com o meu pai ao pé de uma sebe, encontrei um pintarroxo morto. Sem qualquer receio, peguei nele e mostrei-lho. «Põe-o no chão», gritou ele de repente, «não vês que está a dormir?» A morte, como o amor, era um assunto que não se encarava de frente. Não teria sido mil vezes melhor se me tivessem dito que o Argo tinha morrido? O meu pai poderia ter pegado em mim ao colo e dizer-me: «Matei-o porque estava doente e tinha muitas dores. Onde está agora é muito mais feliz.» Claro que eu teria chorado mais, ter-me-ia desesperado, durante meses e meses teria ido ao lugar onde o tinham enterrado, com a terra a separar-nos teria falado com ele por muito tempo. Depois, a pouco e pouco, teria começado a esquecê-lo, outras coisas me teriam interessado, teria tido outras paixões, e o Argo acabaria por deslizar para o fundo dos meus pensamentos, como uma recordação, uma bela recordação da minha infância. Assim, pelo contrário, o Argo transformou-se num pequeno cadáver que trago dentro de mim.

É por isso que digo que aos seis anos já era grande, porque, no lugar da alegria havia a ansiedade, no lugar da curiosidade, a indiferença. Os meus pais seriam uns monstros? Claro que não, eram pessoas absolutamente normais para a época.

Só na velhice é que a minha mãe começou a contar-me coisas da sua infância. A mãe tinha morrido quando ela era ainda criança, antes dela tinha nascido um rapaz que morrera aos três anos com uma pneumonia. Ela tinha sido concebida logo a seguir e tinha tido o azar de nascer não só do sexo feminino, mas também no mesmo dia em que o irmão tinha morrido. Para recordar essa triste coincidência, desde bébé que a tinham vestido de luto. Sobre o seu berço imperava um grande retrato a óleo do irmão. Servia para lhe lembrar, mal abria os olhos, que não passava de um substituto, de uma cópia desbotada de alguém melhor do que ela. Compreendes? Como culpá-la então da sua frieza, das suas opções erradas, da sua indiferença? Até as macacas, quando são criadas num laboratório asséptico e não pela própria mãe, passado pouco tempo entristecem e deixam-se morrer.

E se fôssemos ainda mais atrás, até à mãe dela ou à mãe da mãe, sabe-se lá o que encontraríamos.

A infelicidade costuma acompanhar a linha feminina. Como certas anomalias genéticas, passa de mãe para filha. Ao passar, em vez de se atenuar, torna-se cada vez mais intensa, mais enraizada e profunda. Nessa época, para os homens, era muito diferente, tinham a profissão, a política, a guerra; a sua energia podia libertar-se, expandir-se. Nós, não. Nós, durante gerações e gerações, só tivemos o quarto, a cozinha, a casa de banho; demos milhares e milhares de passos, fizemos milhares e milhares de gestos, carregando o mesmo rancor, a mesma insatisfação. Ter-me-ei tornado feminista? Não, não tenhas medo, só tento olhar com lucidez para o que ficou para trás.

Lembras-te de quando íamos para o promontório ver o fogo de artifício que disparavam do mar, na noite de 15 de Agosto? De vez em quando, havia um foguete que, embora explodisse, não conseguia chegar ao céu. Aí tens, quando penso na vida da minha mãe, na vida da minha avó, quando penso em tantas vidas de pessoas que conheço, vem-me à ideia esta imagem — foguetes que implodem em vez de subirem.

21 de Novembro

Li não sei onde que Manzoni, enquanto estava a escrever *Os Noivos*, se levantava todas as manhãs feliz por voltar a encontrar todas as suas personagens. Não posso dizer o mesmo de mim. Embora tenham passado muitos anos, não me agrada nada falar da minha família, a minha mãe ficou na minha memória imóvel e hostil como um janízaro. Esta manhã, para tentar arejar um pouco o que há entre mim e ela, entre mim e as recordações, fui dar um passeio pelo jardim. Durante a noite choveu, para oeste o céu estava claro, mas sobre a casa ainda havia a ameaça de umas nuvens roxas. Antes que começasse de novo a chover a cântaros, voltei para dentro. Pouco depois veio um temporal, em casa estava tão escuro que tive de acender a luz. Desliguei a televisão e o frigorífico, não fosse algum raio avariá-los, depois peguei na lanterna, meti-a no bolso e vim para a cozinha, para o nosso encontro de todos os dias.

No entanto, mal me sentei, reparei que ainda não estava pronta, se calhar havia demasiada electricidade no ar, os meus pensamentos andavam de um lado para o outro como se fossem faíscas. Então levantei-me e, seguida pelo *Buck*, imperturbável, andei pela casa durante algum tempo, sem um destino preciso. Fui ao quarto onde dormia com o avô, depois fui ao quarto onde agora durmo — e que antigamente era o da tua mãe —, à casa de jantar, e, por fim, ao teu quarto. Ao passar de um aposento para outro, lembrei-me do efeito que a casa provocou em mim quando cá entrei pela primeira vez: não me agradou nada. Quem a escolheu não fui eu, mas o meu marido, o Augusto, e também a escolheu à pressa. Precisávamos de um sítio onde viver e não se podia esperar coisa melhor. Como era bastante grande e tinha jardim, pareceu-lhe que satisfaria todas as nossas necessidades. Mal abrimos o portão, achei-a logo de mau gosto, ou melhor, de péssimo gosto; não havia uma única parte que condisse-se com a outra quanto à cor e à forma. Se a olhássemos de um lado, parecia um chalé suíço, do outro, com o grande postigo central e a fachada com o telhado em degraus, parecia uma daquelas casas holandesas que dão para os canais. Se a olhássemos de longe, com as sete chaminés de formas diferentes, percebia-se que o único lugar onde podia existir era numa fábula. Fora construída nos anos vinte, mas não havia um único pormenor que a pudesse caracterizar como uma casa dessa época. O facto de não ter uma identidade preocupava-me, levei muitos anos a habituar-me à ideia de que era minha, de que a existência da minha família coincidia com as suas paredes.

Foi precisamente quando estava no teu quarto que um raio que caíra mais perto do que os outros apagou a luz. Em vez de acender a lanterna, estendi-me na cama. Lá fora, o bater da chuva forte, as rajadas de vento; dentro de casa, sons diversos, estalidos, rumores surdos, ruídos da madeira a ajustar-se. De olhos fechados, a minha casa pareceu-me por um instante um navio, um grande veleiro que avançava pelo relvado. A tempestade amainou por volta da hora do almoço, da janela do teu quarto vi que dois grandes ramos tinham caído da nogueira.

Agora estou outra vez na cozinha, no meu lugar de batalha, comi e lavei os poucos pratos que sujei. O *Buck* está a dormir aos meus pés, prostrado pelas emoções desta manhã. Quanto mais os anos vão passando, mais os temporais lhe provocam um terror de que custa a restabelecer-se.

Num dos livros que comprei quando estavas no jardim-escola, li a certa altura que a escolha da família em que se nasce é guiada pelo ciclo das vidas. Se temos aquele pai e aquela mãe é só porque aquele pai e aquela mãe nos permitirão compreender algo mais, dar mais um pequeno, um pequeníssimo passo. Mas se assim é, pensei eu então, porque se fica parado durante tantas gerações? Porque é que em vez de se avançar, se retrocede?

Recentemente, no suplemento científico de um jornal, li que a evolução talvez não funcione como sempre pensámos que funcionava. Segundo as últimas teorias, as mudanças não ocorrem de uma forma gradual. A pata mais comprida, o bico de forma diferente para explorar outro recurso, não se vão formando lentamente, milímetro a milímetro, geração após geração. Não, surgem de repente: da mãe para o filho tudo muda, tudo é diferente. A prová-lo estão os restos dos esqueletos, mandíbulas, cascos, crânios com dentes diversos. De muitas espécies nunca foram encontradas formas intermédias. O avô é assim e o neto é assado, entre uma geração e a outra houve um salto. E se acontecesse o mesmo com a vida íntima das pessoas? As mudanças vão-se acumulando em surdina, lentamente e depois, a certa altura, explodem. De repente, uma pessoa rompe o círculo, decide ser diferente. Destino, hereditariedade, educação, onde começa uma coisa e acaba a outra? Se uma pessoa se põe a reflectir, mesmo só por um instante, fica logo aterrorizada com o grande mistério de tudo isto.

Pouco antes de me casar, a irmã do meu pai — a que falava com os espíritos — tinha pedido a um amigo dela, que era astrólogo, para fazer o meu horóscopo. Um dia, apareceu-me com um papel na mão e disse-me: «Olha, o teu futuro é este». Havia um desenho geométrico no papel, as linhas que uniam o sinal de um planeta ao outro formavam muitos ângulos. Mal o vi, lembro-me de ter pensado, não há harmonia aqui dentro, não há continuidade, há uma série de saltos, de curvas tão bruscas que parecem quedas. Na parte detrás, o astrólogo tinha escrito: «Um caminho difícil, tens de te armar de todas as virtudes para o percorreres até ao fim».

Fiquei muito impressionada, a minha vida, até esse momento, parecera-me muito banal, tinha havido problemas, claro, mas tinham sido problemas de nada, mais do que abismos eram arrufos juvenis. Mesmo quando me tornei adulta, mulher e mãe, viúva e avó, nunca me afastei dessa aparente normalidade. O único facto extraordinário, se assim se pode dizer, foi a morte trágica da tua mãe. No entanto, vendo bem, o tal quadro das estrelas não mentia, porque sob a superfície polida e linear, sob o meu rame-rame diário de mulher burguesa, havia de facto um movimento contínuo, feito de ligeiras subidas, rupturas, escuridões imprevistas e precipícios muito profundos. Enquanto ia vivendo, o desespero triunfava muitas vezes, e eu sentia-me como aqueles soldados que marcham a compasso, parados no mesmo sítio. Mudavam os tempos, mudavam as pessoas, tudo mudava à minha volta, e eu tinha a impressão de que estava sempre parada.

A morte da tua mãe deu o golpe de misericórdia na monotonia dessa marcha. A ideia já modesta que tinha de mim mesma ruiu num só instante. Se até hoje, dizia para comigo, dei um passo ou dois, agora, de repente, retrocedi, atingi o ponto mais baixo do meu caminho. Nesses dias receei não aguentar, parecia-me que aquela parte mínima de coisas que tinha compreendido até então desaparecia de chofre. Felizmente, não pude entregar-me por muito tempo a esse estado depressivo, a vida continuava, com todas as suas exigências.

A vida eras tu: chegaste, pequena, indefesa, sem mais ninguém no mundo, invadiste esta casa silenciosa e triste com as tuas risadas imprevistas, o teu choro. Ao ver a tua cabeça de criança oscilar entre a mesa e o sofá, lembro-me de ter pensado que nem tudo tinha acabado. O acaso, na sua generosidade imprevisível, tinha-me dado mais uma oportunidade.

O acaso. Uma vez, o marido da senhora Morpurgo disse-me que em hebraico esta palavra não existe. Para se referirem à casualidade são obrigados a utilizar a palavra «azar», que é uma palavra árabe. Estranho, não achas? Estranho, mas tranquilizador: onde há Deus não há lugar para o acaso, nem para o humilde vocábulo que o representa. Tudo está ordenado, regulado do alto, tudo o que nos acontece, acontece porque tem um sentido. Sempre senti muita inveja das pessoas que aceitam esta visão do mundo sem hesitações, inveja da sua leviandade. Quanto a mim, com toda a minha boa vontade, nunca consegui aceitá-la por mais de dois dias seguidos: perante o horror, perante a injustiça, recuei sempre, em vez de os justificar com gratidão, geraram sempre em mim um enorme sentimento de revolta.

No entanto, agora preparo-me para fazer uma acção verdadeiramente arriscada: mandar-te um beijo. Detestas os beijos, não é? Batem na tua couraça como bolas de ténis. Mas não importa, não podes fazer nada porque, neste momento, transparente e leve, já vai a voar sobre o oceano.

Estou cansada. Reli o que escrevi até agora com uma certa ansiedade. Perceberás alguma coisa? Tenho muitas coisas apinhadas dentro da cabeça; para saírem, empurram-se umas às outras, como as senhoras na altura dos saldos. Quando raciocino, nunca consigo ter um método, um fio que se vá desenrolando logicamente do princípio até ao fim. Às vezes, penso que é por nunca ter andado na Universidade. Li muitos livros, interessei-me por muitas coisas, mas sempre a pensar nas fraldas, no fogão, nos sentimentos. Um botânico que passeie por um prado escolhe as flores com uma ordem precisa, sabe o que lhe interessa e o que não lhe interessa; decide, elimina, estabelece relações. Mas se é um turista que passeia pelo prado, as flores são escolhidas de um modo diferente, uma porque é amarela, outra porque é azul, outra porque é perfumada, e outra ainda porque está à beira do caminho. Acho que a minha relação com o saber foi assim. A tua mãe censurava-me sempre por causa disso. Quando discutíamos, eu cedia quase logo. «Não tens dialéctica», dizia-me ela. «Como todas as pessoas burguesas, não sabes defender seriamente o que pensas.»

Se tu estás imersa nessa inquietação selvática e desprovida de nome, a tua mãe estava imersa em ideologia. Para ela, o facto de eu falar de coisas pequenas e não de coisas grandes era fonte de reprovação. Chamava-me reaccionária e dizia que eu estava cheia de fantasias burguesas. Segundo o seu ponto de vista, eu era rica e, como tal, propensa ao supérfluo, ao luxo, tendia naturalmente para o mal.

Pela maneira como algumas vezes me olhava, tenho a certeza de que, se houvesse um tribunal do povo e fosse ela a presidir, me teria condenado à morte. Eu cometia o pecado de viver numa pequena moradia com jardim e não numa barraca ou num apartamento da periferia. A esse pecado juntava-se o facto de ter recebido em herança um pequeno rendimento que nos permitia viver a ambas. Para não cometer os erros que os meus progenitores tinham cometido, interessava-me pelo que ela dizia ou, pelo menos, esforçava-me por isso. Nunca trocei dela nem lhe dei a entender até que ponto era alheia a qualquer ideia totalizante, mas ela também devia notar a minha desconfiança pelas suas frases feitas.

A Ilaria andou na Universidade de Pádua. Podia muito bem ter estudado em Trieste, mas era demasiado intolerante para continuar a viver comigo. Sempre que lhe propunha ir ter com ela, respondia com um silêncio carregado de hostilidade. Os seus estudos iam muito devagar, não sabia com quem ela partilhava a casa, nunca quis dizer-mo. Como sabia até que ponto era frágil, estava preocupada. Tinha havido o Maio em França, as universidades ocupadas, o movimento estudantil. Ao ouvir os seus raros relatos ao telefone, apercebia-me de que já não conseguia acompanhá-la, estava sempre entusiasmada com qualquer coisa e essa qualquer coisa mudava constantemente. Obedecendo ao meu papel de mãe, tentava compreendê-la, mas era muito difícil: era tudo convulso, fugidio, havia demasiadas ideias novas, demasiados conceitos absolutos. Em vez de se servir das suas próprias frases, a Ilaria desfiava *slogans* atrás de *slogans*. Eu temia pelo seu equilíbrio psíquico: sentir que fazia parte de um grupo com o qual partilhava as mesmas certezas, os mesmos dogmas absolutos, reforçava de um modo preocupante a sua tendência natural para a arrogância.

No seu sexto ano de Universidade, preocupada com um silêncio mais prolongado do que os outros, meti-me no comboio e fui ter com ela. Desde que tinha ido para Pádua, nunca o tinha feito. Mal abriu a porta, ficou estarrecida. Em vez de me cumprimentar, agrediu-me: «Quem te convidou?» e sem sequer me dar tempo para responder, acrescentou: «Devias ter-me avisado, estava mesmo para sair. Esta manhã tenho um exame importante.» Ainda estava em camisa de noite, era evidente que estava a mentir. Fingi não reparar e disse: «Paciência, fico à tua espera e depois vamos festejar o resultado.» Daí a pouco, ela saiu de facto, e com tal pressa que deixou os livros em cima da mesa.

Como fiquei sozinha em casa, fiz aquilo que qualquer mãe teria feito, pus-me a vasculhar nas gavetas, à procura de um sinal, de algo que me ajudasse a compreender que rumo tinha tomado na vida. Não tinha a intenção de a espiar, de me armar em censora ou em inquisidora, coisas que nunca fizeram parte do meu carácter. Sentia apenas uma grande ansiedade e, para a acalmar, precisava de um ponto de contacto. À parte alguns prospectos e opúsculos de propaganda revolucionária, não descobri mais nada, nem uma carta, nem um diário. Numa das paredes do quarto, havia um manifesto que dizia «A família é tão arejada e estimulante como uma câmara de gás». A seu modo, já era um indício.

A Ilaria regressou ao princípio da tarde, vinha com o mesmo ar ofegante que tinha à saída. «Como correu o exame?» perguntei-lhe o mais afectuosamente possível. Encolheu os ombros. «Como todos os outros» e após uma pausa acrescentou, «foi para isso que vieste, para me controlar?» Eu queria evitar o recontro, por isso, em tom calmo e disponível, respondi-lhe que só tinha um desejo: falar um pouco com ela.

«Falar?» repetiu incrédula. «E de quê? Das tuas paixões místicas?»

«De ti, Ilaria», disse eu baixinho, tentando encontrar os seus olhos. Aproximou-se da janela, tinha o olhar fixo num salgueiro que começava a murchar: «Não tenho nada para contar, pelo menos a ti. Não quero perder tempo com tagarelices intimistas e pequeno-burguesas». Depois desviou os olhos do salgueiro para o relógio de pulso e disse: «Já é tarde, tenho uma reunião importante. Tens de te ir embora.» Não lhe obedeci, levantei-me, mas em vez de sair fui ter com ela, peguei-lhe nas mãos: «O que se passa?» perguntei-lhe, «o que é que te faz sofrer?» Sentia que a sua respiração se tornava mais rápida. «Ver-te neste estado faz-me mal ao coração», acrescentei. «Apesar de me rejeitares como mãe, eu não te rejeito como filha. Queria ajudar-te, se tu não vens ao meu encontro, não posso fazê--lo.» Nesse momento, o queixo começou a tremer-lhe como quando era criança e estava quase a chorar, soltou as mãos das minhas e voltou-se bruscamente para o canto. Profundos soluços sacudiam-lhe o corpo magro e contraído. Acariciei-lhe os cabelos, tinha as mãos geladas, mas a testa estava a arder. Voltou-se de repente, abraçou--me, escondendo o rosto no meu ombro. «Mãe», disse «eu... eu...».

Nesse preciso instante, tocou o telefone.

«Deixa-o tocar», murmurei-lhe ao ouvido.

«Não posso», respondeu, enxugando os olhos.

Quando levantou o auscultador, tinha de novo uma voz metálica, estranha. Pelo breve diálogo percebi que devia ter acontecido algo de grave. De facto, logo a seguir, disse-me: «Tenho muita pena, mas agora tens mesmo de te ir embora». Saímos juntas, à porta cedeu a um abraço muito rápido e culpado. «Ninguém me pode ajudar», murmurou enquanto me abraçava. Acompanhei-a até à bicicleta que estava atada a um poste ali perto. Já estava em cima do selim quando, enfiando os dedos por debaixo do meu colar, disse: «As pérolas são o teu salvo-conduto, não são? Desde que nasceste, nunca tiveste coragem para dar um passo sem elas!»

A tantos anos de distância, é este o episódio da minha vida com a tua mãe que com mais frequência me vem à ideia. Penso muitas vezes nele. Como é possível, digo para comigo, que, de todas as coisas que vivemos juntas, seja esta a que primeiro surge nas minhas recordações? Hoje, quando, mais uma vez, fazia a mim própria esta pergunta, dentro de mim ressoou o provérbio «A língua bate onde o dente dói». O que é que isso tem a ver, perguntarás tu. Tem a ver, tem muito a ver. Aquele episódio vem-me muitas vezes à ideia porque é o único em que eu tive a possibilidade de fazer uma mudança. A tua mãe tinha desatado a chorar, tinha-me abraçado: naquele momento, tinha-se aberto uma fresta na sua couraça, uma fissura mínima por onde eu poderia ter entrado. Uma vez lá dentro, teria podido fazer como aqueles pregos que alargam mal entram na parede: vão-se dilatando a pouco e pouco, conquistando um pouco mais de espaço. Ter-me-ia transformando num ponto sólido na sua vida. Devia ter tido pulso para o fazer. Quando ela me disse «agora tens de te ir embora», devia ter ficado. Devia ter alugado um quarto numa pensão ali perto e voltar todos os dias a bater à sua porta; insistir até transformar aquela fresta numa abertura. Faltava muito pouco, sentia-o.

Mas não o fiz; por cobardia, preguiça e falso sentido do pudor, obedeci à sua ordem. Eu tinha detestado as intromissões da minha mãe, queria ser uma mãe diferente, respeitar a liberdade da sua vida. Sob a máscara da liberdade oculta-se muitas vezes a indiferença, o desejo de não nos envolvermos. Há um limite muito ténue, passá-lo ou não é uma questão de um segundo, de uma decisão que se toma ou não se toma; só nos apercebemos da sua importância quando esse segundo passou. Só então nos arrependemos, só então compreendemos que naquele momento não devia ter havido liberdade, mas intrusão: estávamos presentes, tínhamos consciência, dessa consciência devia nascer a obrigação de agir. O amor não se entrega aos preguiçosos, para existir na sua plenitude exige por vezes gestos precisos e fortes. Compreendes? Eu ocultei a minha cobardia e a minha indolência sob o nobre disfarce da liberdade.

A ideia do destino é algo que surge com a idade. Quando se tem os anos que tu tens, geralmente não se pensa nisso, tudo o que acontece é como se fosse fruto da nossa vontade. Sentimo-nos como um operário que, pedra sobre pedra, vai construindo à sua frente o caminho que deverá percorrer. Só muito depois é que se repara que o caminho já está construído, que alguém o traçou para nós, e que só nos resta seguir em frente. É uma descoberta que costuma fazer-se por volta dos quarenta anos, então começa-se a perceber que as coisas não dependem só de nós. É um momento perigoso, durante o qual não é raro escorregar-se para um fatalismo claustrofóbico. Para veres o destino em toda a sua realidade, tens de deixar passar mais alguns anos. Por volta dos sessenta, quando o caminho atrás de ti é mais comprido do que o que tens à tua frente, vês uma coisa que nunca tinhas visto antes: o caminho que percorreste não era a direito mas cheio de encruzilhadas, a cada passo havia uma seta que apontava para uma direcção diferente; dali partia um atalho, de acolá um carreiro cheio de ervas que se perdia nos bosques. Alguns desses desvios fizeste-os sem te aperceberes, outros nem sequer os viste; não sabes se os que não fizeste te levariam a um lugar melhor ou pior; não sabes, mas sentes pena. Podias fazer uma coisa e não a fizeste, voltaste para trás em vez de seguir em frente. O jogo da glória, lembras-te? A vida vai avançando mais ou menos da mesma forma.

Ao longo das encruzilhadas do teu caminho encontras as outras vidas, conhecê-las ou não, vivê-las a fundo ou desperdiçá-las depende da escolha que fazes num segundo; embora o não saibas, entre seguir a direito ou fazer um desvio joga-se muitas vezes a tua existência, a existência de quem está perto de ti.

22 de Novembro

Esta noite o tempo mudou, veio o vento de leste, em poucas horas varreu todas as nuvens. Antes de começar a escrever, dei um passeio pelo jardim. O bora ainda soprava forte, metia-se por baixo da roupa. O *Buck* estava eufórico, queria brincar, saltitava a meu lado com uma pinha na boca. Com as minhas poucas forças só consegui lançá-la uma vez, fez um voo muito breve, mas ele ficou contente na mesma. Depois de ter verificado o estado de saúde da tua rosa, fui cumprimentar a nogueira e a cerejeira, as minhas árvores preferidas.

Lembras-te como troçavas de mim, quando me vias parada a acariciar-lhes os troncos? «O que estás a fazer?» perguntavas, «isso não é o lombo de nenhum cavalo». Quando te dizia que tocar numa árvore não é nada diferente do que tocar em qualquer outro ser vivo, e que até é melhor, encolhias os ombros e ias-te embora, irritada. Porque é melhor? Porque, se faço cócegas na cabeça do *Buck*, por exemplo, sinto uma coisa quente, vibrante, mas por baixo disso há sempre uma leve agitação. É a hora da papa, que está demasiado longe ou demasiado perto, são saudades tuas ou mesmo apenas a recordação de um sonho mau. Compreendes? No cão, como no homem, há demasiados pensamentos, demasiadas exigências. Conquistar a paz e a felicidade nunca depende apenas dele.

Na árvore, porém, é diferente. Desde que desponta até que morre, está sempre parada no mesmo sítio. As raízes fazem-na estar mais perto do coração da terra do que qualquer outra coisa, a copa fá-la estar mais perto do céu. A linfa corre no seu interior de cima para baixo, de baixo para cima. Expande-se e retrai-se em função da luz do dia. Espera pela chuva, espera pelo sol, espera por uma estação e depois por outra, espera pela morte. Nenhuma das coisas que lhe permitem viver depende da sua vontade. Existe e mais nada. Compreendes agora porque é belo acariciá-las? Pela sua solidez, pela sua

41

respiração tão longa, tão tranquila, tão profunda. Algures na *Bíblia* está escrito que Deus tem as narinas largas. Embora seja um tanto irreverente, sempre que tentei imaginar uma parecença para o Ser Divino veio-me à ideia a forma de um carvalho.

Na casa da minha infância havia um, tão grande que eram precisas duas pessoas para lhe abraçar o tronco. Aos quatro ou cinco anos, já gostava muito de ir ter com ele. E lá ficava, sentia a humidade da erva debaixo do traseiro, o vento fresco nos cabelos e na cara. Respirava e sabia que havia uma ordem superior das coisas e que eu estava incluída nessa ordem juntamente com tudo aquilo que via. Embora não soubesse música, algo cantava dentro de mim. Não saberia dizer-te que género de melodia era, não havia um refrão preciso, uma ária. Era mais como se um fole soprasse com um ritmo regular e poderoso na zona próxima do meu coração e esse assobio, espalhando-se pelo interior do meu corpo e na minha mente, produzisse uma grande luz, uma luz que tinha uma dupla natureza: a sua, de luz, e a de música. Sentia-me feliz por existir e, para além dessa felicidade, para mim não existia mais nada.

Poder-te-á parecer estranho ou excessivo que uma criança pressinta algo deste género. Infelizmente estamos habituados a considerar a infância como um período de cegueira, de carência, e não como um período em que há muita riqueza. No entanto, bastaria olhar com atenção para os olhos de um recém-nascido para se perceber de que é assim. Alguma vez o fizeste? Quando tiveres oportunidade, experimenta. Põe de parte os preconceitos mentais e observa-o. Como é o seu olhar? Vazio, inconsciente? Ou antigo, remotíssimo, sábio? As crianças têm naturalmente um fôlego maior, nós, adultos, é que o perdemos e não sabemos aceitá-lo. Aos quatro, cinco anos, eu ainda não sabia nada de religião, de Deus, de todas essas confusões que os homens fazem ao falarem destas coisas.

Sabes, quando foi preciso decidir se havias ou não de frequentar as aulas de religião na escola, estive muito tempo indecisa acerca do que devia fazer. Por um lado, lembrava-me de como tinha sido catastrófico o meu primeiro encontro com os dogmas, por outro lado, tinha a certeza absoluta de que, na educação, para além da mente, havia que pensar também no espírito. A solução veio por si, no mesmo dia em que morreu o teu primeiro criceto. Tinha-lo na mão e olhavas-me, perplexa. «Onde é que ele está, agora?» perguntaste-me. Respondi-te com a mesma pergunta: «Onde achas que ele está, agora?» Lembras-

-te do que me respondeste? «Está em dois lugares. Um bocadinho aqui e um bocadinho entre as nuvens.» Nessa mesma tarde, fizemos-lhe o funeral. Ajoelhada diante do pequeno túmulo, fizeste a tua oração: «Sê feliz, Tony. Um dia havemos de voltar a ver-nos.»

Talvez nunca to tenha dito, mas fiz os primeiro cinco anos de escola com as freiras, no colégio do Sagrado Coração. Acredita que não foi um prejuízo pequeno para a minha mente já tão instável. À entrada do colégio havia, durante todo o ano, um grande presépio armado pelas freiras. Lá estava o menino Jesus na sua cabana, com o pai, a mãe, o boi e o burro e, a toda a volta, montes e despenhadeiros de papelão unicamente povoados por um rebanho de ovelhas. Cada ovelha era uma aluna e, de acordo com o seu comportamento durante o dia, assim era afastada ou aproximada da cabana do menino Jesus. Todas as manhãs, antes de irmos para a aula, passávamos à frente do presépio e, ao passar, tínhamos de ver qual era a nossa posição. Do lado oposto à cabana, havia um precipício muito profundo onde estavam as que se portavam pior, com duas patinhas já suspensas no vazio. Entre os seis e os sete anos, vivi condicionada pelos passos que a minha ovelha dava. E é inútil dizer-te que quase nunca saiu da beira do precipício.

Intimamente, e com toda a minha vontade, tentava respeitar os mandamentos que me tinham ensinado. Fazia-o não só pelo conformismo natural que têm todas as crianças, mas também porque estava mesmo convencida de que era preciso ser-se bom, não mentir, não ser vaidoso. Apesar disso, estava sempre prestes a cair. Porquê? Por coisas de nada. Quando, em lágrimas, ia ter com a madre superiora para lhe perguntar porque é que a minha ovelha tinha mudado de novo de lugar, ela respondia-me: «Porque ontem tinhas um laço demasiado grande na cabeça... Porque uma colega tua ouviu-te cantarolar, à saída da escola... Porque não lavaste as mãos antes de ir para a mesa.» Compreendes? Mais uma vez, os meus pecados eram exteriores, iguaizinhos àqueles de que a minha mãe me culpava. O que nos ensinavam não era a coerência, mas o conformismo. Um dia cheguei ao extremo limite do precipício e desatei a soluçar, dizendo: «Mas eu amo o menino Jesus.» Sabes o que me disse a freira que estava ali perto? «Ah, além de seres desarrumada, és mentirosa. Se amasses mesmo o menino Jesus, tinhas os cadernos mais em ordem.» E zás!, com o indicador empurrou a minha ovelha para o fundo do precipício.

Depois deste episódio, creio que não dormi durante dois meses. Mal fechava os olhos, sentia o colchão debaixo das costas transformar-se em chamas, e vozes horrendas troçavam dentro de mim, dizendo: «Espera, que já vamos buscar-te.» Claro que nunca contei nada disto aos meus pais. Ao ver-me amarela e nervosa, a minha mãe dizia: «A menina está com um esgotamento» e eu, sem uma palavra, engolia colheres e colheres de xarope.

É estranho, mas ao reviver agora as emoções dessa época tenho a impressão de que a minha grande crise de crescimento não foi, como sempre acontece, na adolescência, mas precisamente nesses anos da infância. Aos doze, treze, catorze anos já era tristemente estável. As grandes questões metafísicas tinham desaparecido a pouco e pouco para serem substituídas por fantasias novas e inócuas. Aos domingos e dias de festa, ia à missa com a minha mãe; ajoelhava-me com um ar compungido para receber a hóstia, mas enquanto o fazia pensava noutras coisas; tratava-se apenas de um dos muitos papéis que tinha de representar para viver em paz. Por isso não te matriculei nas aulas de educação religiosa nem nunca me arrependi de não o ter feito. Quando, com a tua curiosidade infantil, me fazias perguntas sobre esse assunto, tentava responder-te de uma forma directa e serena, respeitando o mistério que existe em cada um de nós. E quando deixaste de me fazer perguntas, muito discretamente desisti de te falar nisso. Nestas coisas não se pode forçar nem travar, se não sucede o mesmo que com os vendedores ambulantes. Quando mais propaganda fazem dos seus produtos, mais se suspeita de que são uma burla. Contigo tentei apenas não fazer desaparecer aquilo que já existia. Quanto ao resto, limitei-me a esperar.

Não julgues, porém, que o meu caminho foi fácil; se, aos quatro anos, pressenti a aura que envolve as coisas, aos sete, já me tinha esquecido. É certo que, nos primeiros tempos, ainda ouvia a música, em fundo, mas ouvia. Parecia uma torrente num desfiladeiro; se estava quieta e atenta, à beira do precipício conseguia ouvir-lhe o rumor. Depois, a torrente transformou-se num velho aparelho de rádio, num rádio que está prestes a deixar de funcionar. Em certos momentos, a melodia explodia com demasiada força, no momento seguinte, nada.

O meu pai e a minha mãe não perdiam nenhuma oportunidade para me censurarem pelo meu hábito de cantar. Uma vez, durante um almoço, até apanhei uma bofetada — a primeira bofetada — por me ter escapado um «trálálá». «À mesa não se canta», trovejou o meu pai. «Não se canta se não se é cantor», acrescentou a minha mãe. Eu chorava e repetia entre as lágrimas: «Mas dentro de mim, canta-se». Para os meus pais, tudo o que saísse do mundo concreto da matéria era totalmente incompreensível. Sendo assim, como era possível conservar a minha música? Seria preciso ter, pelo menos, o destino de um santo. Mas o meu destino era o destino cruel da normalidade.

Pouco a pouco, a música foi desaparecendo e com ela o sentimento de alegria profunda que me tinha acompanhado nos primeiros anos. A alegria, sabes, é aquilo de que mais tenho saudades. Claro que depois também fui feliz, mas a felicidade está para a alegria como uma lâmpada eléctrica está para o sol. A felicidade tem sempre um objecto, é-se feliz por alguma coisa, é um sentimento cuja existência depende do exterior. A alegria, pelo contrário, não tem objecto. Possui-nos sem qualquer razão aparente, no seu ser assemelha-se ao sol, arde graças à combustão do seu próprio coração.

Ao longo dos anos, esqueci-me de mim mesma, da parte mais profunda de mim, para me transformar noutra pessoa, naquela pessoa que os meus pais esperavam que eu fosse. Pus de parte a minha personalidade para adquirir um carácter. O carácter, terás forma de o sentir, é muito mais apreciado no mundo do que a personalidade.

Mas o carácter e a personalidade, ao contrário do que se julga, não andam a par, ou melhor, na maioria das vezes, excluem-se decisivamente. A minha mãe, por exemplo, tinha um carácter forte, sabia o que fazia, e não havia nada, absolutamente nada, que pudesse comprometer essa segurança. Eu era o seu oposto. Na vida de todos os dias, não havia nada que me entusiasmasse. Se tinha de decidir qualquer coisa, hesitava, adiava por tanto tempo que quem estava ao meu lado perdia a paciência e acabava por decidir por mim.

Não penses que foi um processo natural pôr de parte a personalidade para fingir que tinha carácter. Algo no meu íntimo continuava a revoltar-se, uma parte desejava continuar a ser eu própria, enquanto a outra, para ser amada, queria adaptar-se às exigências do mundo. Que dura batalha! Detestava a minha mãe, o seu modo de agir superficial e vazio. Detestava-a, mas, lentamente e contra a minha vontade, estava a tornar-me exactamente como ela. É essa a grande e terrível chantagem da educação, a que é quase impossível escapar. Nenhuma criança pode viver sem amor. É por isso que se adapta ao modelo exigido, embora não lhe agrade, embora não o ache justo.

O efeito deste mecanismo não desaparece com a idade adulta. Quando se é mãe, volta a surgir sem nos apercebermos ou querermos, molda de novo as nossas acções. Por isso, quando a tua mãe nasceu, eu tinha a certeza absoluta de que me comportaria de uma forma diferente. E de facto assim fiz. No entanto, essa diferença era superficial, falsa. Para não impor um modelo à tua mãe, tal como me fora imposto a mim, antes da época em que essas coisas se costumam fazer, deixei-a sempre escolher livremente, queria que se sentisse aprovada em todos os seus actos, passava a vida a repetir-lhe: «Somos duas pessoas diferentes e devemos respeitar-nos na nossa diferença».

Havia um erro em tudo isso, um erro grave. E sabes qual era? Era a minha falta de identidade. Embora já fosse adulta, não tinha a certeza de nada. Não conseguia gostar de mim, estimar-me. Graças à sensibilidade subtil e oportunista que caracteriza as crianças, a tua mãe percebeu quase logo: sentiu que eu era fraca, frágil, fácil de dominar. Quando penso na nossa relação, a imagem que me vem à ideia é a de uma árvore e de uma trepadeira. A árvore é mais velha, mais alta, está ali há muito tempo e tem raízes mais profundas. A trepadeira desponta aos seus pés numa única estação, não tem raízes, tem barbas, filamentos. Sob cada filamento tem pequenas ventosas, é com elas que vai subindo pelo tronco. Passado um ano ou dois, já está lá em cima, na copa. Enquanto a sua anfitriã vai perdendo as folhas, ela continua verde. Continua a propagar-se, a arreigar-se, cobre totalmente a árvore, o sol e a água só a atingem a ela. Nessa altura, a árvore seca e morre, só fica o tronco, apoio miserável da trepadeira.

Depois da sua morte trágica, não pensei nela durante alguns anos. Por vezes, reparava que a tinha esquecido e achava que era uma crueldade. Havias tu a acompanhar, claro, mas não creio que o verdadeiro motivo fosse esse, ou talvez o fosse em parte. O sentimento de derrota era demasiado grande para poder admiti-lo. Só nos últimos anos, quanto tu começaste a afastar-te, a procurar o teu caminho, é que voltei a pensar na tua mãe, e isso começou a obcecar-me. O remorso maior é o de nunca ter tido coragem para a contrariar, de nunca lhe ter dito: «Não tens razão nenhuma, estás a fazer uma asneira». Nos seus discursos havia *slogans* muitos perigosos, coisas que, para seu bem, eu deveria ter arrasado imediatamente, mas abstinha-me de intervir. A indolência nada tinha a ver com isso.

As coisas que se discutiam eram essenciais. O que me levava a agir — ou melhor, a não agir — era o comportamento que a minha mãe me tinha ensinado. Para ser amada, tinha de evitar o recontro, fingir que era quem não era. A Ilaria era naturalmente prepotente, tinha mais carácter do que eu e eu receava o conflito aberto, tinha medo de me opor. Se a tivesse amado de verdade, devia ter-me indignado, tê-la tratado com dureza; devia tê-la obrigado a fazer coisas ou a não as fazer de facto. Se calhar, era o que ela queria, aquilo de que precisava.

Porque será que as verdades elementares são as mais difíceis de compreender? Se eu tivesse compreendido que a principal qualidade do amor é a força, talvez tudo se tivesse desenrolado de forma diferente. Mas, para sermos fortes, é preciso gostarmos de nós; para gostarmos de nós, é preciso conhecermo-nos profundamente, saber tudo de nós, mesmo as coisas mais ocultas, mais difíceis de aceitar. Como é possível levar a bom termo um processo deste género, quando a vida com o seu rumor nos vai empurrando para a frente? Só o pode fazer desde o início quem possui dotes extraordinários. Para o comum dos mortais, para as pessoas como eu, como a tua mãe, só resta o destino dos ramos e das garrafas de plástico. De repente, alguém — ou o vento — atira-nos ao leito de um rio, graças à matéria de que somos feitos, em vez de irmos ao fundo, flutuamos; isso já nos parece uma vitória e, por isso, de repente, começamos a correr; deslizamos velozes para onde a corrente nos arrasta; de vez em quando, um molho de raízes ou uma pedra obrigam-nos a parar; ficamos para ali durante algum tempo, batidos pela água, e depois a água sobe e liberta-nos, e continuamos em frente; quando o curso é tranquilo, vamos à superfície, quando surgem os rápidos, submergimos; não sabemos para onde vamos e nunca ninguém pergunta; nos troços mais calmos, conseguimos ver a paisagem, os diques, os silvados; mais do que os pormenores, vemos as formas, o tipo de cor, vamos demasiado depressa para vermos outras coisas; depois, com o passar do tempo e dos quilómetros, os diques vão ficando mais baixos, o rio vai alargando, ainda há margens, mas por pouco tempo. «Para onde vais» perguntamos então a nós próprios e, nesse instante, à nossa frente, abre-se o mar.

Uma grande parte da minha vida foi assim. Mais do que reparar nas coisas, andei às cegas. Com gestos inseguros e confusos, sem elegância nem alegria, consegui apenas flutuar.

Porque te escrevo tudo isto? O que significarão estas confissões tão longas e tão íntimas? Talvez já estejas farta, talvez tenhas folheado uma página após outra, soprando de impaciência. Onde quererá ela chegar, deves ter perguntado, para onde me leva? É verdade, enquanto escrevo vou divagando, em vez de meter pela estrada principal, muitas vezes e de propósito enfio-me por carreiros humildes. Dou a impressão de que me perdi e talvez não seja uma impressão: perdi-me mesmo. Mas é este o caminho exigido por aquilo que tu tanto procuras: o centro.

Lembras-te de quando te ensinava a fazer crepes? Quando os atiras ao ar, dizia-te, tens de pensar em tudo menos na necessidade de eles cairem direitos na frigideira. Se te concentras no voo, podes ter a certeza de que caem enrolados, ou que se esborracham em cima do fogão. É ridículo, mas é justamente a distracção que conduz ao centro das coisas, ao seu coração.

Agora, quem tem a palavra não é o meu coração, é o meu estômago. Resmunga e tem razão, porque, entre um crepe e uma viagem ao longo do rio, chegou a hora de jantar. Tenho de te deixar, mas antes de te deixar, mando-te mais um odiado beijo.

29 de Novembro

O vento de ontem fez uma vítima, encontrei-a esta manhã durante o passeio do costume pelo jardim. Como se me tivesse sido sugerido pelo meu anjo da guarda, em vez de dar, como sempre, só uma volta à casa, fui até ao fundo, até ao sítio onde antigamente havia o galinheiro e onde agora está o depósito do estrume. Foi precisamente quando seguia ao longo do pequeno muro que nos separa da família do Walter que vi uma coisa escura no chão. Podia ser uma pinha, mas não era porque, a intervalos bastante regulares, mexia-se. Eu tinha saído sem óculos, e só quando estava mesmo em cima dela é que reparei que se tratava de uma melra. Para a apanhar, pouco faltou para partir o fémur. Mal estava quase a agarrá-la, ela dava um saltinho para a frente. Se eu fosse mais nova, agarrava-a em menos de um segundo, mas agora sou demasiado lenta para o fazer. Por fim, tive um golpe de génio, tirei o lenço da cabeça e atirei-o para cima dela. Assim embrulhada trouxe-a para casa e instalei-a numa velha caixa de sapatos, lá dentro meti uns trapos velhos e fiz uns buracos na tampa, um dos quais bastante grande para ela poder pôr a cabeça de fora.

Enquanto estou a escrever, está aqui à minha frente, em cima da mesa. Ainda não lhe dei de comer porque está demasiado agitada. Ao vê-la assim agitada, também me agito, o seu olhar aterrado embaraça-me. Se neste momento aparecesse uma fada, se aparecesse, cegando-me com o seu raio, entre o frigorífico e o fogão, sabes o que lhe pedia? Pedia-lhe o Anel do rei Salomão, aquele intérprete mágico que permite falar com todos os animais do mundo. E poderia dizer à melra: «Não te preocupes, minha pequenina, sou um ser humano, sim, mas tenho as melhores intenções. Vou tratar de ti, dar-te de comer e, quando estiveres curada, por-te-ei em liberdade».

Mas voltemos a nós. Ontem, deixámo-nos na cozinha, com a minha prosaica parábola dos crepes. Tenho quase a certeza de que ficaste irritada. Quando se é jovem, pensa-se sempre que as coisas grandes exigem — para serem descritas — palavras ainda maiores, altissonantes. Pouco antes de partires, deixaste-me debaixo da almofada uma carta onde tentavas explicar-me o teu mal-estar. Agora que estás longe, posso dizer-te que, à parte precisamente da sensação de mal-estar, não percebi nada de nada dessa carta. Era tudo tão retorcido, tão obscuro. Eu sou uma pessoa simples, a época a que pertenço é diferente daquela a que tu pertences: se uma coisa é branca, digo que é branca, se é preta, digo que é preta. Os problemas resolvem-se com a experiência de todos os dias, olhando para as coisas como elas são de facto e não como, segundo um qualquer, deveriam ser. Quando se começa a deitar fora os estorvos, ou seja, a eliminar aquilo que não nos pertence, que vem do exterior, já se está no bom caminho. Muitas vezes tenho a impressão de que as leituras que fazes, em vez de te ajudarem te confundem, que deixam tudo negro à tua volta, como os chocos ao fugir.

Antes de decidires partir, apresentaste-me uma alternativa. Ou vou um ano para o estrangeiro, ou vou consultar um psicanalista. A minha reacção foi dura, lembras-te? Até podes estar lá fora três anos, disse-te eu, mas a um psicanalista não vais nem uma vez; não te permito que vás, nem que sejas tu a pagar. Ficaste muito chocada com essa reacção tão extrema. No fundo, ao propores-me o psicanalista, julgavas estar a propor-me um mal menor. Embora não tenhas protestado de forma nenhuma, deves ter pensado que eu era demasiado velha para perceber essas coisas ou demasiado pouco informada. Enganas-te. Em criança já ouvia falar de Freud. Um dos irmãos do meu pai era médico e, como tinha estudado em Viena, entrara muito cedo em contacto com as suas teorias. Era um entusiasta e sempre que ia almoçar lá a casa tentava convencer os meus pais da sua eficácia. «Nunca me convencerás de que, se sonho que estou a comer esparguete, é porque tenho medo da morte», trovejava a minha mãe. «Se sonho com esparguete, isso só significa uma coisa: que tenho fome.» De nada serviam as tentativas do meu tio para lhe explicar que a sua teimosia derivava de uma transferência, que o seu medo da morte era inequívoco, porque o esparguete não passava de vermes, e vermes era aquilo que um dia todos viríamos a ser. Sabes o que é que a minha mãe fazia, nessa altura? Após uns instantes de silêncio, perguntava com a sua voz de soprano: «E se sonho com macarrão?»

Mas os meus encontros com a psicanálise não se limitam a esta anedota infantil. A tua mãe foi cliente de um psicanalista, ou suposto como tal, durante quase dez anos, quando morreu ainda lá ia, por isso, embora por reflexo, pude acompanhar dia após dia toda a evolução dessa relação. De início, para falar verdade, ela não me contava nada, como sabes há o segredo profissional. No entanto, o que me impressionou logo — e negativamente — foi o imediato e total sentimento de dependência. Passado um mês, já toda a sua vida girava em torno desse encontro, do que sucedia durante essa hora entre ela e o tal senhor. Ciúmes, dirás tu. Talvez, é possível, mas não era o principal; o que me angustiava era sobretudo o mal-estar de a ver escrava de uma nova dependência: primeiro, a política, depois, a relação com esse senhor. A Ilaria tinha-o conhecido durante o último ano que estivera em Pádua e era a Pádua que ia todas as semanas. Quando me comunicou essa nova actividade, fiquei um tanto ou quanto perplexa e perguntei-lhe: «Achas mesmo que é preciso ires lá para encontrares um bom médico?»

Por um lado, a decisão de recorrer a um médico para sair do seu estado de crise permanente provocava-me uma sensação de alívio. No fundo, dizia para comigo, o facto de a Ilaria ter decidido pedir ajuda a alguém já é um passo em frente; por outro lado, porém, conhecendo a sua fragilidade, estava muito preocupada com a escolha da pessoa a quem ela se entregara. Entrar na cabeça de alguém é sempre de uma delicadeza extrema. «Como o descobriste?» perguntava-lhe. «Alguém to aconselhou?», mas ela só encolhia os ombros. «O que queres saber?» dizia, truncando a frase com um silêncio arrogante.

Embora ela tivesse alugado uma casa em Trieste, tínhamos o costume de almoçar juntas pelo menos uma vez por semana. Desde o início da terapia que os nossos diálogos nessas ocasiões eram de uma enorme e propositada superficialidade. Falávamos do que tinha acontecido na cidade, do tempo; se o tempo estava bom e na cidade não tinha acontecido nada, ficávamos quase totalmente caladas.

Todavia, a partir da sua terceira ou quarta viagem a Pádua, apercebi-me de uma mudança. Em vez de falarmos ambas de nada, era ela quem fazia perguntas: queria saber tudo do passado, de mim, do pai, das nossas relações. Nas suas perguntas não havia afecto, curiosidade: o tom era o de um interrogatório; repetia por várias vezes a pergunta insistindo em pormenores minúsculos, insinuava dúvidas acerca de episódios que ela própria tinha vivido e de que se lembrava muito bem; nesses instantes, não me parecia estar a falar com a minha filha, mas com um comissário que a todo o custo me queria fazer confessar um crime. Um dia, perdi a paciência e disse--lhe: «Fala claramente, diz-me só onde queres chegar». Ela olhou--me com um olhar levemente irónico, pegou num garfo, bateu com ele no copo e quando o copo fez ding, disse: «A um só lugar, ao começo da linha. Quero saber porque é que tu e o teu marido me cortaram as asas».

Esse almoço foi o último em que acedi a submeter-me àquele fogo de barragem de perguntas; na semana seguinte, telefonei-lhe a dizer que viesse, mas com uma condição: que entre nós houvesse um diálogo e não um processo.

Tinha culpas no cartório? Claro que tinha culpas no cartório, havia muitas coisas de que devia ter falado com a Ilaria, mas não me parecia justo nem saudável revelar assuntos tão delicados sob a pressão de um interrogatório; se tivesse cedido, em vez de se iniciar uma relação nova entre duas pessoas adultas, eu seria apenas e para sempre culpada e ela, para sempre vítima, sem possibilidade de resgate.

Alguns meses depois, voltei a falar com ela acerca da terapia. Nessa altura, ela e o médico faziam retiros que duravam todo o fim-de-semana; estava muito magra e nas suas palavras havia algo de delirante que eu nunca ouvira antes. Falei-lhe do irmão do avô, dos seus primeiros contactos com a psicanálise e depois, como quem não quer a coisa, perguntei-lhe: «De que escola é o teu analista?» «De nenhuma», respondeu ela, «ou melhor, de uma que ele próprio fundou».

A partir desse momento, aquilo que até então fora apenas uma simples ansiedade converteu-se numa verdadeira e profunda preocupação. Consegui descobrir o nome do médico e depois de uma breve investigação também descobri que não era de facto médico. As esperanças que tinha alimentado no início acerca dos efeitos da terapia ruíram de um só golpe. É claro que não era a falta da licenciatura em si que me fazia desconfiar, mas a falta da licenciatura associada ao facto de ter constatado que o estado da Ilaria se tinha agravado. Se a cura fosse válida, pensava, a uma fase inicial de mal-estar dever-se-ia seguir outra de maior bem-estar; lentamente, por entre dúvidas e recaídas, deveria surgir a consciência. Mas, a pouco e pouco, a Ilaria tinha deixado de se interessar por tudo o que havia à sua volta. Há já alguns anos que terminara os estudos e não fazia nada, afastara-se dos poucos amigos que tinha, a sua única actividade era sondar os impulsos íntimos com a obsessão de um entomólogo. O mundo girava à volta do que tinha sonhado de noite, de uma frase que eu e o pai lhe tínhamos dito, vinte anos atrás. Perante essa deterioração da sua vida, sentia-me completamente impotente.

Só passados três verões, e durante algumas semanas, é que houve uma réstea de esperança. Pouco depois da Páscoa, propus-lhe fazermos uma viagem: para minha grande surpresa, em vez de recusar logo a ideia, a Ilaria, levantando os olhos do prato, perguntou: «E onde vamos?» «Não sei», respondi, «onde quiseres, onde te apetecer ir».

Nessa mesma tarde, esperámos com impaciência pela abertura das agências de viagens. Durante semanas, calcorreámo-las a todas, à procura de qualquer coisa que nos agradasse. Por fim, optámos pela Grécia — Creta e Santorini —, em finais de Maio. As coisas práticas que havia a fazer antes da partida uniram-nos numa cumplicidade que nunca existira antes. Ela estava obcecada com as malas, com o terror de se esquecer de qualquer coisa de primeira importância: para a sossegar, comprei-lhe um caderno: «Escreve tudo o que precisas» disse-lhe, «à medida que fores metendo na mala, fazes uma cruz ao lado».

À noite, quando me ia deitar, lamentava não ter pensado antes que uma viagem era uma óptima maneira de tentar reatar a nossa relação. Na sexta-feira antes da partida, a Ilaria telefonou-me com uma voz metálica. Creio que estava numa cabina, na rua. «Tenho de ir a Pádua», disse-me, «volto na terça-feira à tarde, o mais tardar». «Tens mesmo de ir?» perguntei-lhe, mas ela já tinha desligado.

Até à quinta-feira seguinte, não tive mais notícias. Às duas horas, o telefone tocou, o seu tom de voz era um misto de dureza e de pena. «Lamento muito», disse, «mas já não vou à Grécia.» Esperava pela minha reacção; eu, também. Passados alguns instantes, respondi: «Também lamento muito. Mas vou na mesma». Ela percebeu a minha desilusão e tentou justificar-se: «Se parto, fujo de mim mesma», sussurrou.

Como podes imaginar, foram umas férias muito tristes, esforçava-me por seguir os guias, por me interessar pela paisagem, pela arqueologia; na realidade, só pensava na tua mãe, naquilo em que a sua vida se estava a transformar.

A Ilaria, dizia para comigo, parece um camponês que, depois de ter plantado a horta e ter visto despontar os primeiros rebentos, começa a ter medo de que algo possa danificá-los. Então, para os proteger das intempéries, compra um belo toldo de plástico resistente à água e ao vento e coloca-o por cima deles; para manter afastados os afídios e as larvas, borrifa-os com doses abundantes de insecticida. É um trabalho sem pausas, não há momento do dia ou da noite em que não pense na horta e na forma de a defender. Depois, uma manhã, ao erguer o toldo, tem a má surpresa de encontrar os rebentos podres, mortos. Se os tivesse deixado crescer em liberdade, alguns morreriam na mesma, mas outros teriam sobrevivido. A par dos que plantou, levados pelo vento e pelos insectos, teriam crescido outros, alguns seriam ervas daninhas e tê-los-ia arrancado, mas outros talvez tivessem acabado por florir, alegrando com as suas cores a monotonia da horta. Compreendes? As coisas são assim, é preciso generosidade na vida: cultivar o nosso caracterzinho sem ver mais nada do que está à nossa volta significa que ainda se respira, mas que já se está morto.

Ao impor uma excessiva rigidez à mente, a Ilaria tinha suprimido dentro de si a voz do coração. De tanto discutir com ela, até eu tinha medo de pronunciar esta palavra. Uma vez, era ela uma adolescente, disse-lhe: o coração é o centro do espírito. Na manhã seguinte, em cima da mesa da cozinha, encontrei o dicionário aberto na palavra «espírito», e, sublinhada com um lápis vermelho, a definição: líquido incolor próprio para conservar a fruta.

Actualmente, o coração faz pensar logo em algo de ingénuo, de vulgar. Na minha juventude, ainda era possível falar dele sem qualquer embaraço, mas agora é um termo que já ninguém usa. As raras vezes em que é citado é só com uma referência ao seu mau funcionamento: não é o coração na sua totalidade, mas uma isquemia coronária, uma leve dor da aurícula; mas já ninguém se refere a ele como sendo o centro da alma humana. Interroguei-me tantas vezes acerca do motivo desse ostracismo. «Quem confia no seu coração é um imbecil» dizia muitas vezes o Augusto, citando a *Bíblia*. Mas um imbecil porquê? Será por o coração se assemelhar a uma câmara de combustão? Por haver escuridão lá dentro, escuridão e fogo? A mente é moderna, o coração é antigo. Por isso se pensa que aqueles que dão importância ao coração estão próximos do mundo animal, do incontrolado, e que aqueles que dão importância à razão se dedicam às reflexões mais elevadas. E se as coisas não fossem assim, se fosse exactamente o contrário? Se fosse esse excesso de razão que subalimenta a vida?

Durante a viagem de regresso da Grécia, adquiri o hábito de passar parte da manhã perto da ponte de comando. Gostava de dar uma olhadela lá para dentro, de ver o radar e todos aqueles aparelhos complicados que nos diziam para onde nos estávamos a dirigir. Um dia, ao observar as várias antenas que vibravam no ar, pensei que o homem se está a parecer cada vez mais com um rádio que só se pode sintonizar numa banda de frequência. Sucede um pouco a mesma coisa com os transistores que vêm como prémio nos detergentes: embora no quadrante estejam desenhadas todas as estações, na realidade, ao mover o sintonizador, só se consegue captar uma ou duas, as outras continuam a zumbir no ar. Tenho a impressão de que o uso excessivo da mente produz mais ou menos o mesmo efeito: de toda a realidade que nos rodeia só se consegue captar uma parte restrita. E nessa parte impera muitas vezes a confusão, porque está repleta de palavras, e as palavras, na maioria dos casos, em vez de nos conduzirem a algum lugar mais amplo só nos obrigam a uma dança de roda.

A compreensão exige silêncio. Quando era jovem, não o sabia, sei-o agora, que ando pela casa muda e solitária como um peixe na sua redoma de cristal. É quase como lavar um chão sujo com uma vassoura ou um trapo molhado: se se usa a vassoura, uma grande parte do pó ergue-se no ar e volta a cair sobre os objectos que estão mais perto; se se usa o trapo molhado, o chão fica brilhante e liso. O silêncio é como o trapo molhado, afasta para sempre a opacidade do pó. A mente é prisioneira das palavras, o seu ritmo é o ritmo desordenado dos pensamentos; mas o coração respira, é o único órgão que pulsa, e é essa pulsação que nos permite estar em sintonia com pulsações maiores. Por vezes acontece-me, mais por distracção do que por outra coisa qualquer, deixar a televisão ligada durante toda a tarde; embora não olhe para ela, o seu rumor segue-me pelas salas e, à noite, quando vou para a cama, estou muito mais nervosa do que é costume, e custa-me a adormecer. O rumor contínuo, o tumulto são uma espécie de droga, quando nos habituamos não podemos passar sem eles.

Não quero ir muito mais além, não agora. Escrevi estas páginas como se tivesse feito um bolo misturando várias receitas — um pouco de amêndoas e depois o requeijão, passas e rum, biscoitos e maçapão, chocolate e morangos — em suma, uma daquelas coisas terríveis que antigamente me fizeste experimentar dizendo que se chamava *nouvelle cuisine*. Uma salsada? Talvez. Acho que se um filósofo as lesse, não conseguiria deixar de riscar tudo com o lápis vermelho, como as professoras de antigamente. «Incongruente», escreveria, «não obedeceu ao tema, dialecticamente insustentável».

Imagina lá o que sucederia se fosse parar às mãos de um psicólogo! Poderia escrever um ensaio inteiro sobre a relação falhada com a minha filha, sobre as minhas transferências. Mesmo que tivesse havido alguma transferência, o que é que isso importa agora? Tinha uma filha e perdi-a. Morreu espatifando-se com o automóvel: nesse mesmo dia, tinha-lhe revelado que aquele pai que, segundo ela, tantos problemas lhe tinha dado, não era o seu verdadeiro pai. Tenho esse dia na minha frente como a película de um filme, só que em vez de se mover no projector está pregado numa parede. Sei de cor a sequência das cenas, conheço os pormenores de cada uma delas. Nada me escapa, está tudo cá dentro, pulsa nos meus pensamentos quando estou acordada e quando estou a dormir. Continuará a pulsar depois da minha morte.

A melra acordou, a intervalos regulares põe a cabeça de fora e emite um pio decidido. «Tenho fome», parece dizer, «de que estás à espera para me dares de comer?» Levantei-me, abri o frigorífico, vi se havia lá dentro alguma coisa que lhe pudesse dar. Como não havia nada, peguei no telefone para perguntar ao senhor Walter se tinha minhocas. Enquanto marcava o número, pensei: «Tu é que és feliz, pequenina, que nasceste de um ovo e que, logo a seguir ao primeiro voo, te esqueceste do aspecto dos teus pais».

30 de Novembro

Esta manhã, pouco antes das nove, veio cá o Walter com a mulher e um saquinho de vermes. Conseguiu arranjá-los por intermédio de um primo que tem o *hobby* da pesca. Eram bichos da farinha. Ajudada por ele, tirei delicadamente a melra de dentro da caixa, o coração batia-lhe como louco sob as penas macias do peito. Com uma pinça de metal, tirei os vermes do prato e dei-lhos. Por mais que eu lhos abanasse apetitosamente à frente do bico, ela ficava indiferente. «Abra-lhe o bico com um palito» aconselhava-me o senhor Walter, «force-lho com os dedos», mas eu, naturalmente, não tinha coragem para o fazer. A certa altura, e dada a grande quantidade de pássaros que já criámos, lembrei-me de que se deve tocar-lhes num dos lados do bico, e foi o que fiz. E de facto, como se por detrás houvesse uma mola, a melra escancarou-o logo. Depois de ter comido três bichos da farinha, já estava saciada. A senhora Razman fez café — eu, desde que tenho a mão defeituosa, já não o posso fazer — e ficámos a falar um pouco de tudo e de nada. Sem a simpatia e a disponibilidade dela e do marido, a minha vida seria muito mais difícil. Dentro de alguns dias, vão a um viveiro comprar bolbos e sementes para a próxima Primavera. Disseram-me para ir com eles. Não lhes disse que sim nem que não, combinámos telefonar amanhã, às nove horas.

Foi a 8 de Maio. Tinha passado a manhã a tratar do jardim, as aquilégias já estavam floridas e a cerejeira estava cheia de rebentos. À hora do almoço, sem se ter feito anunciar, chegou a tua mãe, apareceu. Apareceu atrás de mim, sem dizer nada. «Surpresa!» gritou de repente e eu, assustada, deixei cair o ancinho. A expressão do seu rosto contrastava com o entusiasmo alegre da exclamação. Estava amarela e tinha os lábios contraídos. Ao falar, passava constantemente as mãos pelos cabelos, afastava-os da cara, puxava-os, metia uma madeixa na boca.

Nos últimos tempos, era esse o seu estado natural, ao vê-la assim não fiquei preocupada, pelo menos não mais do que das outras vezes. Perguntei-lhe onde estavas. Disse-me que te tinha deixado ficar a brincar com uma amiga. Enquanto nos íamos encaminhando para casa, tirou do bolso um raminho de miosótis todo amassado. «Hoje é o dia da mãe», disse, e ficou imóvel a olhar para mim, com as flores na mão, sem se decidir a dar um passo. Eu é que dei esse passo, fui junto dela e abracei-a com afecto, agradecendo. Ao sentir o seu corpo abraçado ao meu, fiquei perturbada. Ela era uma pessoa muito rígida, e quando a abracei a sua rigidez aumentou ainda mais. Tinha a sensação de que o seu corpo, interiormente, era oco, que emanava ar frio, como as grutas. Naquele momento, lembro-me muito bem de ter pensado em ti. O que será da pequena, pensei, com uma mãe neste estado? À medida que o tempo ia passando, a situação em vez de melhorar piorava, eu estava preocupada contigo, com o teu crescimento. A tua mãe era muito ciumenta e trazia-te cá a casa o menos possível. Queria preservar-te das minhas influências negativas. Se a tinha arruinado a ela, não conseguiria arruinar-te a ti.

Eram horas do almoço e, depois do abraço, fui para a cozinha preparar alguma coisa. O dia estava ameno. Pusemos a mesa ao ar livre, debaixo das glicínias. Pus a toalha aos quadrados verdes e brancos e, no centro da mesa, uma jarra com os miosótis. Estás a ver? Lembro-me de tudo com uma precisão incrível para a minha memória tão instável. Terei pressentido que aquela seria a última vez que a veria em vida? Ou terei tentado, após a tragédia, dilatar artificialmente o tempo que passámos juntas? Sabe-se lá. Quem poderá dizê-lo?

Como não tinha nada feito, preparei um molho de tomate. Enquanto acabava de o fazer, perguntei à Ilaria se queria *penne*[1] ou *fusilli*[2]. Lá de fora, respondeu «é indiferente» e eu então optei pelos *fusilli*. Quando nos sentámos, fiz-lhe algumas perguntas acerca de ti, perguntas a que ela respondeu com evasivas. Sobre as nossas cabeças havia um vaivém contínuo de insectos. Entravam e saíam das flores, o seu zumbido quase cobria as nossas palavras. A certa altura, uma coisa escura caiu no prato da tua mãe. «É uma vespa. Mata-a, mata-a!», gritou, saltando da cadeira e entornando tudo. Então eu inclinei-

---

[1] Espécie de massa em forma de pequenos canudos cortados obliquamente. *(NT)*
[2] Espécie de massa comprida e em forma de caracol. *(NT)*

-me para ver o que era, vi que era um bombo e disse-lho: «Não é nenhuma vespa, é um bombo, é inofensivo». Depois de o ter enxotado da toalha, voltei a deitar-lhe comida no prato. Ainda muito perturbada, ela voltou a sentar-se no seu lugar, pegou no garfo, brincou um pouco com ele passando-o de uma mão para a outra, depois pousou os cotovelos na mesa e disse: «Preciso de dinheiro». Na parte da toalha onde tinham caído os *fusilli* havia uma grande nódoa vermelha.

A questão do dinheiro já se punha há alguns meses. Já antes do Natal do ano anterior a Ilaria me tinha confessado que assinara uns papéis em favor do seu analista. Quando lhe pedia mais explicações, esquivava-se como sempre. «Garantias», tinha dito, «uma mera formalidade». Era o seu comportamento terrorista, quando tinha de me dizer uma coisa, só dizia metade. Descarregava a sua ansiedade em cima de mim, e depois de o ter feito, não me dava as informações necessárias para eu poder ajudá-la. Havia um sadismo subtil em tudo isso. Para além do sadismo, uma necessidade furiosa de estar sempre no centro de qualquer preocupação. Contudo, na maioria das vezes, essas suas saídas não passavam de *boutades*.

Dizia, por exemplo: «Tenho um cancro nos ovários» e eu, depois de uma breve e trabalhosa investigação, descobria que só tinha ido fazer um teste de controlo, aquele teste que fazem todas as mulheres. Compreendes? Era assim como a história do «há lobo! há lobo!». Nos últimos anos, tinha anunciado tantas tragédias que eu acabei por não acreditar ou passei a acreditar um pouco menos. Por isso, quando me disse que tinha assinado uns papéis, não lhe prestei muita atenção, nem insisti para ter mais informações. Já estava farta daquele jogo do pimpampum. Mesmo que tivesse insistido, mesmo que tivesse sabido antes, teria sido inútil, porque ela já tinha assinado os papéis há algum tempo, sem me perguntar nada.

O desastre propriamente dito deu-se em fins de Fevereiro. Só nessa altura é que vim a saber que a Ilaria tinha avalizado com esses papéis os negócios do seu médico num montante de trezentos milhões. Nesses dois meses, a sociedade que ela tinha caucionado falira, havia um buraco de quase dois biliões e os bancos tinham começado a exigir o pagamento do dinheiro emprestado. Nessa altura, a tua mãe veio ter comigo a chorar, perguntando-me o que devia fazer. Com efeito, a garantia que ela tinha dado era a casa onde ela vivia contigo, casa de que os bancos queriam apoderar-se. Podes imaginar a minha fúria. Com mais de trinta anos, a tua mãe não só não era capaz de se manter sozinha, mas também tinha posto em jogo o único bem que possuía: o apartamento que eu tinha posto em nome dela quando tu nasceste. Estava furiosa, mas não lho dei a entender. Para não a perturbar ainda mais, fingi que estava calma e disse: «Vamos ver o que se pode fazer».

Como ela tinha caído numa apatia total, arranjei um bom advogado. Armei-me em detective, recolhi todas as informações que pudessem ser úteis para vencer a acção com os bancos. Foi assim que vim a saber que já há vários anos que ele lhe dava psicofármacos muito fortes. Durante as sessões, se ela estava um pouco deprimida, oferecia-lhe whisky. Passava o tempo todo a dizer-lhe que ela era a sua discípula predilecta, a mais dotada, e que em breve poderia trabalhar por conta própria, abrir um consultório onde poderia tratar as pessoas. Arrepio-me só de repetir estas frases. Imagina só: de um dia para o outro, a Ilaria, tão frágil, tão confusa, tão dispersa, a poder tratar das pessoas. Se não fosse a tal falência, sabes o que teria acontecido? Sem me dizer nada, teria começado a exercer a arte do seu santão.

É claro que nunca tinha ousado falar-me explicitamente desse seu projecto. Quando lhe perguntava porque não se servia da sua licenciatura em Letras, respondia com um sorrizinho malicioso: «Vais ver que me sirvo...»

Há coisas que dóem muito só de se pensar nelas. Dizê-las dói ainda mais. Naqueles meses impossíveis, percebi uma coisa, uma coisa que até esse momento nunca me tinha aflorado e que nem sei se faço bem em dizer-te; no entanto, já que decidi não te esconder nada, esvazio o saco. Sabes, de repente percebi que a tua mãe não era nada inteligente. Custou-me muito perceber isso, aceitá-lo, não só porque uma pessoa se ilude sempre acerca dos filhos, mas também porque ela, com todo aquele saber fingido, com toda aquela dialéctica, conseguira confundir muito bem as águas. Se tivesse tido a coragem de me aperceber disso a tempo, tê-la-ia protegido mais, tê-la-ia amado de uma forma mais firme. Protegendo-a, talvez tivesse conseguido salvá-la.

Era o mais importante e só me apercebi disso quando já não havia quase nada a fazer. Analisada a situação no seu conjunto, a única coisa que, nessa altura, se podia fazer era declará-la incapaz de entender e de querer, intentar uma acção de interdição. No dia em que lhe comuniquei que tínhamos decidido — com o advogado — meter por esse caminho, a tua mãe teve uma crise de histerismo. «Estás a fazer de propósito», gritava, «é tudo um plano para me tirarem a miúda.» No entanto, intimamente, tenho a certeza de que pensava sobretudo numa coisa, ou seja, que se fosse declarada incapaz de entender e de querer, a sua carreira estaria arruinada para sempre. Caminhava de olhos vendados à beira de um abismo e ainda pensava estar no prado, a fazer um piquenique. Depois dessa crise, mandou-me pagar ao advogado e desistir de tudo. Por sua iniciativa foi consultar outro, e até ao tal dia dos miosótis nada mais me disse.

Compreendes o meu estado de espírito quando, pousando os cotovelos na mesa, me pediu dinheiro? É certo, bem sei, que estou a falar da tua mãe, e é possível que nas minhas palavras vejas apenas uma crueldade vazia e penses que ela tinha razão para me odiar. Mas lembra-te do que te disse no início: a tua mãe era minha filha, perdi muito mais do que tu perdeste. Se tu não tens culpa nenhuma de ela ter partido, eu tenho, muitas culpas. Se, de vez em quando, te parece que falo dela com indiferença, tenta imaginar a dimensão da minha dor, tenta perceber que essa dor não tem palavras. Por isso, a indiferença é apenas aparente, é o vácuo que me permite continuar a falar.

Quando me pediu para pagar as suas dívidas, disse-lhe que não, redondamente, pela primeira vez na minha vida. «Não sou nenhum banco suíço», respondi-lhe, «não tenho esse dinheiro. E mesmo que o tivesse não to daria, já és suficientemente crescida para seres responsável pelos teus actos. Só tinha uma casa e pu-la em teu nome, se ficaste sem ela, não tenho nada a ver com isso.» Nessa altura, começou a choramingar. Começava uma frase, deixava-a a meio, começava outra; não havia qualquer sentido, qualquer lógica, nem no conteúdo dessas frases, nem na forma como se sucediam. Depois de se ter lamentado durante uns dez minutos começou a bater na mesma tecla de sempre: o pai e as suas presumíveis culpas, entre as as quais sobressaía a pouca atenção que lhe tinha dispensado. «Quero uma indemnização, percebes ou não?» gritava-me, com um brilho terrível nos olhos. Então, não sei como, explodi. O segredo que tinha jurado a mim mesma levar para o túmulo veio-me aos lábios. Mal saiu, já estava arrependida, queria voltar a metê-lo cá dentro, faria fosse o que fosse para tornar a engolir aquelas palavras. Aquele «o teu pai não é o teu verdadeiro pai» já lhe tinha chegado aos ouvidos. O seu rosto tornou-se ainda mais térreo. Levantou-se lentamente, fixando-

-me. «O que é que tu disseste?» A sua voz mal se ouvia. Eu, estranhamente, estava de novo calma. «Ouviste bem», respondi-lhe. «Disse que o teu pai não era o meu marido.»

Como é que a Ilaria reagiu? Foi-se embora, simplesmente. Com um andar que mais parecia o de um *robot* do que o de um ser humano, encaminhou-se para a saída do jardim. «Espera! Vamos falar», gritei com uma voz odiosamente estridente.

Porque não me levantei, porque não fui atrás dela, porque é que não fiz nada para a deter? Porque também fiquei petrificada com as minhas palavras. Tenta compreender, aquilo que eu tinha guardado durante tantos anos, e com tanta firmeza, tinha saído de repente cá para fora. Em menos de um segundo, como um canário que de súbito vê a porta da gaiola aberta, tinha voado e tinha ido ter com a única pessoa que eu não queria.

Nessa mesma tarde, às seis horas, enquanto, ainda transtornada, andava a regar as hortênsias, uma patrulha da polícia da estrada veio avisar-me do acidente.

Já é muito tarde, tive de fazer uma pausa. Dei de comer ao *Buck* e à melra, comi também, vi um pouco de televisão. A minha couraça esfarrapada não me permite suportar por muito tempo as emoções fortes. Para continuar, tenho de me distrair, de retomar fôlego.

Como sabes, a tua mãe não morreu logo, passou dez dias entre a vida e a morte. Durante esses dias, estive sempre junto dela, esperava pelo menos que por um momento abrisse os olhos, que me fosse dada uma última oportunidade de lhe pedir perdão. Estávamos sozinhas num quarto cheio de máquinas, um pequeno televisor dizia que o seu coração ainda batia, outro, que o seu cérebro estava quase parado. O médico que a tratava tinha-me dito que há casos em que os doentes naquele estado beneficiam ao ouvir um som de que tenham gostado. Então comprei a canção que ela preferia, quando era criança. Arranjei um gravador e punha-a a tocar durante horas e horas. De facto, algo deve ter acontecido porque, depois das primeiras noites, a expressão do seu rosto mudou, o rosto ficou mais descontraído e os lábios começaram a fazer os movimentos que os bebés fazem depois de comer. Quem sabe, talvez na pequena parte do seu cérebro ainda activa estivesse guardada a memória de uma época tranquila, e fosse aí que ela se refugiava naquele momento. Aquela pequena modificação encheu-me de alegria. Nestas alturas agarramo-nos a uma coisa de nada; não me cansava de lhe acariciar a cabeça, de lhe repetir: «Querida, tens de te curar, ainda temos a vida toda à nossa frente, vamos recomeçar tudo desde o princípio, de uma forma diferente». Enquanto lhe falava, vinha-me à ideia uma imagem: ela tinha quatro ou cinco anos, via-a andar pelo jardim agarrando por um braço a sua boneca preferida. Falava-lhe sem parar. De vez em quando, de um ponto qualquer do relvado chegava-me a sua gargalhada, uma gargalhada forte, alegre. Se antigamente tinha sido feliz, pensava eu então, ainda poderá voltar a sê-lo. Para a fazer renascer, é dessa criança que se tem de partir.

Claro que a primeira coisa que os médicos me comunicaram depois do acidente foi que, se ela sobrevivesse, as suas funções nunca mais voltariam a ser o que eram, que podia ficar paralítica ou só parcialmente consciente. E sabes uma coisa? No meu egoísmo materno só queria que ela continuasse a viver. Como, não tinha nenhuma importância. Ou melhor, a melhor forma de expiar totalmente a minha culpa seria empurrá-la na cadeira de rodas, lavá-la, dar-lhe de comer, tratar dela como único objectivo da minha vida. Se o meu amor fosse verdadeiro, se fosse verdadeiramente grande, teria rezado para que ela morresse. Por fim, alguém lhe quis mais do que eu: ao fim da tarde do nono dia, aquele vago sorriso desapareceu-lhe do rosto, e ela morreu. Apercebi-me logo, estava junto dela, mas não avisei a enfermeira de turno porque queria ficar mais um pouco com ela. Acariciei-lhe o rosto, apertei-lhe as mãos entre as minhas como quando ela era pequena, «querida», continuava a repetir, «querida». Depois, sem lhe soltar a mão, ajoelhei-me aos pés da cama e comecei a rezar. Rezando, comecei a chorar.

Quando a enfermeira me tocou no ombro, ainda estava a chorar. «Vá lá, venha comigo», disse-me, «vou dar-lhe um calmante». Não quis o calmante, não queria que nada atenuasse a minha dor. Fiquei ali até a levarem para a morgue. Depois, meti-me num táxi e fui ter contigo a casa da amiga onde estavas hospedada. Nessa mesma noite, vieste cá para casa. «Onde está a mamã?» perguntaste-me ao jantar. «A mamã partiu», disse-te eu então, «foi fazer uma viagem, uma grande viagem até ao céu». Continuaste a comer em silêncio. Mal acabaste, perguntaste com voz séria: «Podemos ir dizer-lhe adeus, avó?» «Claro, meu amor», respondi, e pegando-te ao colo levei-te até ao jardim. Ficámos por muito tempo de pé no relvado, enquanto tu dizias adeus para as estrelas.

1 de Dezembro

Nestes últimos dias, tenho estado de muito mau humor. Um mau humor provocado por algo impreciso, o corpo é assim, tem os seus equilíbrios internos, basta um pequeno nada para os alterar. Ontem de manhã, quando a senhora Razman veio com as compras e me viu tão carrancuda, disse que, para ela, a culpa era da lua. De facto, na noite passada havia lua-cheia. E se a lua pode remover os mares e fazer crescer mais depressa a chicória na horta, porque é que não havia de ter o poder de influir também nos nossos humores? De que somos nós feitos senão de água, gás e minerais? Seja como for, antes de se ir embora, a senhora Razman deixou-me de presente um enorme monte de revistas e por isso passei um dia inteiro a embrutecer-me com as suas páginas. Caio sempre nisso! Mal as vejo, digo para comigo, está bem, folheio-as um pouco, não mais de meia hora e depois vou fazer qualquer coisa mais séria e mais importante. No entanto, nunca me separo delas antes de as ler até à última palavra. Entristeço-me com a vida infeliz da princesa do Mónaco, indigno-me com os amores proletários da irmã, palpito com qualquer notícia de fazer chorar as pedras da calçada que me seja contada com todos os pormenores. E então as cartas! Fico sempre pasmada com o que as pessoas têm a coragem de escrever! Não sou uma velha beata, pelo menos acho que não sou, mas não te nego que há certas liberdades que me deixam ficar bastante perplexa.

Hoje, a temperatura voltou a baixar. Não fui dar o meu passeio pelo jardim, tive medo de que o ar estivesse demasiado gelado, juntamente com o gelo que tenho cá dentro poderia partir-me como um velho ramo gelado. Ainda me estarás a ler ou, agora que me conheces melhor, sentiste uma repulsa tal que não pudeste continuar a leitura? Neste momento, é tão urgente continuar que não posso dar-me ao luxo de adiar, parar, meter por um atalho. Embora tenha guardado esse segredo durante muitos anos, agora já não é possível fazê-lo. Disse-te, no início, que ao ver-te tão perturbada por não possuíres um centro, sentia uma perturbação semelhante à tua, ou talvez ainda maior. Sei que a tua referência ao centro — ou melhor, à falta dele — está estritamente ligada ao facto de nunca teres sabido quem era o teu pai. Se, para mim, foi uma coisa tristemente natural dizer-te para onde foi a tua mãe, quando me fazias perguntas acerca do teu pai, nunca fui capaz de responder. Como poderia? Não tinha a mínima ideia de quem ele era. A Ilaria passou umas longas férias de Verão sozinha na Turquia, e quando regressou estava grávida. Já tinha feito trinta anos e, nessa idade, as mulheres, se ainda não têm filhos, ficam frenéticas, querem a todo o custo ter um, como e de quem não tem qualquer importância.

Ainda por cima, nessa época, eram quase todas feministas; a tua mãe e um grupo de amigas tinham fundado uma associação. Havia muitas coisas certas naquilo que diziam, coisas com que eu estava de acordo, mas entre essas coisas havia também muitos exageros, muitas ideias malsãs e distorcidas. Uma delas era que as mulheres eram totalmente donas da gestão do seu corpo, e que, portanto, fazer ou não um filho só dependia delas. O homem não era mais do que uma necessidade biológica, e como mera necessidade era usado. A tua mãe não foi a única que se comportou assim, houve mais duas ou três das suas amigas que tiveram filhos da mesma forma. Não é totalmente incompreensível, sabes? A capacidade de poder dar a vida gera um sentimento de omnipotência. A morte, a escuridão e a precaridade afastam-se, pões no mundo uma outra parte de ti, e tudo desaparece perante esse milagre.

Para defenderem a sua tese, a tua mãe e as amigas citavam o mundo animal: «As fêmeas», diziam, «só se encontram com os machos na altura de acasalarem, depois cada qual segue o seu caminho e os filhotes ficam com a mãe». Não sou capaz de comprovar se isso é verdade ou mentira. O que sei é que somos seres humanos, cada um de nós nasce com um rosto diferente de todos os outros e esse rosto é o nosso durante toda a vida. Um antílope nasce com um focinho de antílope, um leão com um focinho de leão, são iguais a todos os outros animais da sua espécie. Na natureza, o aspecto é sempre o mesmo, mas o único que tem um rosto é o homem, mais ninguém. O rosto, compreendes? É no rosto que está tudo: a nossa história, o nosso pai, a nossa mãe, os nossos avós e os nossos bisavós, talvez mesmo um tio afastado de quem já ninguém se recorda. Por detrás do rosto está a personalidade, as coisas boas e as coisas menos boas que recebemos dos nossos antepassados. O rosto é a nossa primeira identidade, aquilo que nos permite instalar-nos na vida, dizendo: estou aqui. Por isso, quando, por volta dos treze, catorze anos, começaste a passar horas e horas à frente do espelho, percebi que era disso que andavas à procura. Olhavas com certeza para as borbulhas e para os pontos negros, ou para o nariz que de súbito te parecia demasiado grande, mas também para algo mais. Subtraindo e eliminando os traços da tua família materna, procuravas ter uma ideia do rosto do homem que te tinha posto no mundo. Ora aí está aquilo em que a tua mãe e as amigas não pensaram o suficiente: um dia, o filho, ao ver-se ao espelho, perceberia que dentro dele havia mais alguém e gostaria de saber tudo acerca desse alguém. Há pessoas que perseguem o rosto da mãe, ou do pai, durante toda a vida.

A Ilaria estava convencida de que a genética tinha um peso quase nulo na evolução de uma vida. Para ela, as coisas importantes eram a educação, o ambiente, a forma de crescer. Eu não partilhava dessa ideia, para mim os dois factores andavam a par: uma metade era o ambiente, a outra metade era aquilo que temos dentro de nós desde que nascemos.

Enquanto não foste para a escola, não tive nenhum problema, nunca fazias perguntas sobre o teu pai e eu evitava falar no assunto. Quando entraste para a escola primária, graças às tuas colegas e às malvadas das composições que as professoras mandavam fazer, percebeste de repente que havia qualquer coisa que faltava na tua vida de todos os dias. Na tua classe havia, naturalmente, muitos filhos de pais separados, muitas situações irregulares, mas, no lugar do pai, nenhum tinha aquele vazio total que tu tinhas. Aos seis, sete anos, como podia eu explicar-te o que a tua mãe tinha feito? E depois, pensando bem, eu também não sabia nada, excepto que tinhas sido concebida lá longe, na Turquia. Por isso, para inventar um história que fosse credível, explorei o único dado certo: o país de origem.

Comprei um livro de histórias orientais e todas as noites te lia uma. A partir delas, inventei uma de propósito para ti, ainda te lembras? A tua mãe era uma princesa e o teu pai, um príncipe do Crescente. Como todos os príncipes e princesas, amavam-se tanto que estavam dispostos a morrer um pelo outro. Todavia, na corte, havia muita gente que invejava esse amor. O mais invejoso de todos era o Grã-Vizir, um homem poderoso e mau. Tinha sido justamente ele que lançara uma maldição terrível sobre a princesa e sobre a criatura que ela trazia no ventre. Felizmente, o príncipe foi avisado por um servo fiel e a tua mãe, de noite, vestida de camponesa, tinha deixado o castelo e fugira para cá, para a cidade onde tu viste a luz do dia.

«Sou filha de um príncipe?» perguntavas-me então com uns olhos cintilantes. «Claro», respondia eu, «mas é um segredo muito secreto, um segredo que não deves contar a ninguém». O que esperava eu fazer com essa estranha mentira? Nada, apenas dar-te mais uns anos de serenidade. Sabia que um dia deixarias de acreditar na minha estúpida história. Também sabia que, nesse dia, muito provavelmente, também começarias a detestar-me. Mas não podia deixar de ta contar. Mesmo que recorresse a toda a minha pouca coragem, nunca conseguiria dizer-te: «Não sei quem é o teu pai, talvez nem a tua mãe o soubesse».

Estava-se na época da libertação sexual, a actividade erótica era considerada como uma função normal do corpo: fazia-se amor sempre que apetecia, um dia com um, outro dia com outro. Vi aparecerem ao lado da tua mãe dezenas de rapazes, não me lembro de um só que tenha durado mais de um mês. A Ilaria, que era muito instável, deixou-se arrastar mais do que outros por essa precaridade amorosa. Embora nunca lhe tivesse proibido fosse o que fosse, nem a tivesse criticado, ficava bastante perturbada com aquela inesperada liberdade de costumes. O que me impressionava não era bem a promiscuidade, mas o grande empobrecimento dos sentimentos. Com o fim das proibições e da unicidade da pessoa, desaparecera também a paixão. A Ilaria e as amigas pareciam-me daquelas pessoas que, muito constipadas, são convidadas para um banquete e que, por educação, comem tudo o que lhes é oferecido sem o saborearem: para elas, as cenouras, o assado e os coscorões tinham o mesmo sabor.

É certo que a opção da tua mãe tinha a ver com a nova liberdade de costumes, mas talvez também houvesse a mãozinha de algo mais. O que sabemos nós do funcionamento da mente? Muito, mas não tudo. Por isso, quem pode dizer se ela, em qualquer local obscuro do inconsciente, não pressentiu que aquele homem que tinha na sua frente não era o pai? Muitas das suas inquietações, muita da sua instabilidade não lhe viriam desse facto? Enquanto ela era pequena, enquanto era adolescente, nunca fiz a mim mesma esta pergunta, a ficção em que a tinha feito crescer era perfeita. Mas quando regressou da tal viagem, com uma barriga de três meses, tudo me veio de novo à mente. Ninguém escapa à falsidade, às mentiras. Ou melhor, pode escapar-se durante algum tempo, mas depois, quando menos se espera, voltam a aflorar, deixam de ser dóceis como no momento em que foram ditas, aparentemente inócuas; não, no período em que estiveram longe de nós, transformaram-se em horríveis monstros, em papões. Descobrimo-las e, um segundo depois, devoram-nos, a nós e a tudo o que nos rodeia, com uma avidez tremenda. Um dia, tinhas tu dez anos, voltaste da escola a chorar. «Mentirosa!» disseste-me, e foste a correr fechar-te no teu quarto. Tinhas descoberto a mentira da história.

O título da minha autobiografia poderia muito bem ser «Mentirosa». Desde que nasci, só disse uma mentira.

Com ela destruí três vidas.

4 de Dezembro

A melra continua à minha frente, em cima da mesa. Tem um pouco menos de apetite do que nos dias anteriores. Em vez de me chamar constantemente, está muito quieta no seu lugar, já não mete a cabeça pelo buraco da caixa, só lhe vejo as penas do alto da cabeça. Esta manhã, apesar do frio, fui ao viveiro com os Razman. Estive indecisa até ao último momento, a temperatura era tão baixa que desencorajava até um urso e depois, num nicho escuro do meu coração, havia uma voz que me dizia: para que vais tu plantar mais flores? Mas enquanto marcava o número dos Razman para dizer que não ia, vi da janela as cores desbotadas do jardim e arrependi-me do meu egoísmo. Talvez eu não veja mais nenhuma Primavera, mas tu verás com certeza.

Que mal-estar nestes dias! Quando não escrevo, ando pela casa, mas não encontro paz em nenhum canto. Das poucas coisas que sou capaz de fazer, não há uma única que me permita estar calma, que me permita desviar por um instante os pensamentos das lembranças tristes. Tenho a impressão de que a memória funciona mais ou menos como o congelador. Lembras-te do que acontece quando tiras uma porção de comida que esteve durante muito tempo lá metida? De início está rija como um tijolo, não cheira a nada, não sabe a nada, está coberta por uma pátina branca; no entanto, mal a pões ao lume, vai reassumindo a pouco e pouco a forma, a cor, vai enchendo a cozinha com o seu perfume. Também as lembranças tristes dormitam durante muito tempo numa das inúmeras cavernas da memória, estão para ali durante anos, durante decénios, durante toda a vida. Depois, um belo dia, voltam à superfície, a dor que as tinha acompanhado está de novo presente, tão intensa e pungente como naquele dia, há muitos anos atrás.

Estava a falar-te de mim, do meu segredo. Mas para se contar um história é preciso começar do princípio, e o princípio está na minha juventude, no isolamento um tanto anómalo em que eu tinha crescido e continuava a viver. No meu tempo, a inteligência era um dote bastante negativo para uma mulher que quisesse casar; segundo o costume da época, uma mulher não devia ser mais do que uma égua de criação estática e adoradora. A última coisa que se podia desejar era uma mulher que fizesse perguntas, uma mulher curiosa, inquieta. Por isso, a solidão da minha juventude foi de facto muito grande. Para falar verdade, por volta dos dezoito-vinte anos, como era simpática e bastante bem parecida, tinha uma multidão de apaixonados à minha volta. Contudo, mal demonstrava que sabia falar, mal lhes abria o coração e os pensamentos que se agitavam lá dentro, à minha volta formava-se o vazio. Claro que podia calar-me e fingir que era o que não era, mas, infelizmente — ou felizmente —, apesar da educação que tive, uma parte de mim ainda estava viva e essa parte recusava mostrar-se falsa.

Como sabes, quando acabei o liceu, não continuei os estudos porque o meu pai se opôs. Foi uma renúncia muito difícil para mim. Era precisamente por isso que tinha uma grande vontade de saber. Mal um rapaz declarava que andava a estudar Medicina, massacrava-o com perguntas, queria saber tudo. Fazia o mesmo com os futuros engenheiros, com os futuros advogados. Essa maneira de agir desorientava muito, parecia que me interessava mais pela actividade do que pela pessoa, e talvez assim fosse de facto. Quando falava com as minhas amigas, com as minhas colegas de escola, tinha a sensação de que pertencíamos a mundos que estavam a anos-luz de distância. O que me seprava delas era a malícia feminina. Eu não sabia o que isso era, e elas tinham-na desenvolvido até à máxima potência. Sob a sua aparente arrogância, sob a sua aparente segurança, os homens são extremamente frágeis, ingénuos; têm dentro deles alavancas muito primitivas, basta premir uma para os fazer cair na rede como peixinhos fritos. Eu percebi isso bastante tarde, mas as minhas amigas, aos quinze, dezasseis anos, já o sabiam.

Com um talento natural, aceitavam bilhetinhos ou recusavam-nos, escreviam-nos num tom ou noutro, marcavam encontros e não apareciam, ou apareciam muito tarde. Durante os bailes, sabiam roçar-se com a parte certa do corpo e, ao roçarem-se, olhavam o homem nos olhos com a expressão intensa das jovens corças. É assim a malícia feminina, são estes os mimos que fazem ter êxito com os homens. Mas eu, sabes, era uma simplória, não percebia absolutamente nada do que se passava à minha volta. Mesmo que te possa parecer estranho, havia em mim um profundo sentimento de lealdade e essa lealdade dizia-me que nunca, mas nunca, poderia enganar um homem. Pensava que um dia havia de encontrar um rapaz com quem pudesse falar até altas horas da noite, sem nunca me cansar; falando e falando chegaríamos à conclusão de que víamos as coisas da mesma maneira, que sentiamos o mesmo. Então nasceria o amor, seria um amor baseado na amizade, na estima, não na facilidade da relação amorosa.

Queria uma amizade amorosa e nisso era muito viril, viril no sentido antigo. Acho que o que aterrorizava os meus apaixonados era a relação paritária. Por isso, lentamente, fiquei reduzida ao papel que costuma caber às feias. Tinha muitos amigos, mas eram amizades em sentido único; vinham ter comigo só para me confessarem os seus desgostos de amor. Uma após outra, as minhas colegas iam casando. A certa altura da minha vida, parece-me que não fiz mais nada do que ir a casamentos. Às raparigas da minha idade iam nascendo filhos e eu era sempre a tia casadoira, vivia em casa dos meus pais, já quase resignada a ficar solteira para sempre. «Mas o que é que tu tens na cabeça», dizia a minha mãe, «será possível que fulano não te agrade, ou sicrano?» Para eles, era evidente que as minhas dificuldades com o outro sexo provinham da extravagância do meu carácter. Desagradava-me? Não sei.

Na verdade, não sentia dentro de mim um desejo ardente de constituir família. A ideia de pôr um filho no mundo provocava-me uma certa desconfiança. Tinha sofrido demasiado em criança, e receava fazer sofrer da mesma maneira uma criatura inocente. Além disso, embora continuasse a viver em casa dos meus pais, era totalmente independente, senhora de todas as horas dos meus dias. Para ganhar algum dinheiro, dava explicações de Grego e de Latim, as minhas disciplinas preferidas. À parte disso, não tinha outros compromissos, podia passar tardes inteiras na biblioteca comunal sem ter de prestar contas a ninguém, podia ir para a montanha sempre que me apetecesse.

Em suma, a minha vida, comparada com a das outras mulheres, era livre, e eu tinha muito medo de perder essa liberdade. No entanto, com o passar do tempo, sentia que toda essa liberdade, toda essa aparente felicidade, era cada vez mais falsa, mais forçada. A solidão, que no início me parecera um privilégio, começava a pesar-me. Os meus pais estavam a ficar velhos, o meu pai tinha tido uma apoplexia e custava-lhe a andar. Todos os dias, de braço dado, íamos comprar o jornal, teria eu vinte e sete ou vinte e oito anos. Ao ver a minha imagem reflectida ao lado da dele nas montras das lojas, também me senti velha de repente e vi o rumo que a minha vida estava a tomar: dentro de pouco tempo ele morreria, a minha mãe segui-lo-ia, eu ficaria sozinha numa grande casa cheia de livros, para passar o tempo talvez começasse a bordar ou a pintar a aguarela e os anos voariam uns a seguir aos outros. Até que uma manhã alguém, preocupado por não me ver há uns poucos de dias, chamaria os bombeiros, os bombeiros arrombariam a porta e encontrariam o meu corpo estendido no chão. Estava morta, e o que restava de mim não era muito diferente da carcaça seca que fica no chão quando morrem os insectos.

Sentia o meu corpo de mulher murchar sem ter vivido e isso dava-me uma grande tristeza. E também me sentia só, muito só. Desde que tinha nascido, nunca tivera ninguém com quem falar, com quem falar mesmo, entenda-se. É certo que era muito inteligente, lia muito, como o meu pai dizia, por fim, com um certo orgulho: «A Olga nunca há-de casar porque tem demasiada cabeça». Mas toda essa suposta inteligência não levava a parte nenhuma, não era capaz, sei lá, de partir para uma grande viagem, de estudar em profundidade fosse o que fosse. Como não tinha andado na Universidade, sentia-me com as asas cortadas. Na realidade, a causa da minha ineptidão, da incapacidade em fazer frutificar os meus dotes, não era essa. Afinal, o Schliemann descobriu Troia como autodidacta, não foi? O meu travão era outro, o pequeno cadáver cá dentro, lembras-te? Era ele quem me travava, era ele quem me impedia de seguir em frente. Estava parada e esperava. O quê? Não fazia a mínima ideia.

No dia em que o Augusto foi pela primeira vez a nossa casa, tinha nevado. Lembro-me porque é raro nevar por estes lados e porque, nesse dia, por causa da neve, o nosso hóspede chegou atrasado para o almoço. O Augusto trabalhava, como o meu pai, na importação de café. Tinha vindo a Trieste para tratar da venda da nossa empresa. Depois da apoplexia, o meu pai, que não tinha herdeiros do sexo masculino, decidira desfazer-se da empresa para viver os últimos anos em paz. À primeira vista, o Augusto pareceu-me muito antipático. Vinha da Itália, como se dizia entre nós e, como todos os italianos, tinha uma afectação que eu achava irritante. É estranho, mas sucede muitas vezes que pessoas importantes na nossa vida, à primeira vista, não agradem nada. Depois do almoço, o meu pai foi para o quarto repousar e deixaram-me na saleta a fazer companhia ao hóspede enquanto não chegava a hora de ele ir apanhar o combóio. Estava muito aborrecida. Nessa hora, ou pouco mais, em que estivemos juntos, tratei-o com grosseria. A cada pergunta que ele me fazia, respondia com um monossílabo, se ele não dizia nada, eu também ficava calada. Quando, já à porta, me disse: «Então, até à próxima, *signorina*», estendi-lhe a mão com a mesma indiferença com que uma fidalga a estende a um homem de classe inferior.

«O senhor Augusto, embora seja italiano, é simpático», disse a minha mãe, à noite, ao jantar. «É uma pessoa honesta», respondeu o meu pai. «E também percebe de negócios.» Nessa altura, adivinha lá o que aconteceu. A minha língua desatou-se sozinha: «E não traz aliança no dedo!», exclamei com uma vivacidade inesperada. Quando o meu pai respondeu: «De facto, coitado, é viúvo», já eu estava vermelha como um pimentão e profundamente embaraçada.

Dois dias depois, ao regressar de uma explicação, encontrei à entrada um pacote embrulhado em papel prateado. Era o primeiro embrulho que recebia em toda a minha vida. Não conseguia perceber quem o tinha mandado. Enfiado debaixo do papel havia um bilhete. Conhece estes doces? Por baixo, a assinatura do Augusto.

À noite, com aqueles doces na mesinha-de-cabeceira, não conseguia adormecer. Tê-los-á mandado por delicadeza para com o meu pai, dizia para comigo, enquanto ia comendo um maçapão atrás do outro. Três semanas mais tarde, o Augusto voltou a Trieste, «em negócios», disse ele durante o almoço, mas em vez de se ir logo embora, como da outra vez, ficou algum tempo na cidade. Antes de se despedir, pediu ao meu pai para o deixar levar-me a passear de automóvel, e o meu pai, sem sequer me perguntar, disse que sim. Andámos toda a tarde pelas ruas da cidade, ele falava pouco, pedia-me informações sobre os monumentos e depois ficava calado, a ouvir-me. Ouvia-me, e isso, para mim, era um verdadeiro milagre.

Na manhã em que partiu, mandou-me um ramo de rosas vermelhas. A minha mãe estava muito agitada, eu fingia que não estava, mas esperei algumas horas antes de abrir o bilhete e de o ler. As suas visitas depressa passaram a ser semanais. Todos os sábados vinha a

Trieste e todos os domingos voltava de novo para a cidade onde vivia. Lembras-te do que o Príncipezinho fazia para domesticar a raposa? Ia todos os dias para a porta da toca e esperava que ela saísse. Assim, a pouco e pouco, a raposa foi aprendendo a conhecê--lo e a não ter medo. E também foi aprendendo a emocionar-se ao ver tudo o que lhe recordava o seu amiguinho. Seduzida com o mesmo tipo de táctica, também eu, esperando-o, começava a ficar agitada logo a partir de quinta-feira. O processo de domesticação tinha começado. Passado um mês, toda a minha vida girava em torno da espera do fim-de-semana. Em pouco tempo tinha-se criado entre nós uma grande confiança. Com ele podia finalmente falar, ele apreciava a minha inteligência e o meu desejo de saber; eu apreciava a sua calma, a sua disponibilidade para ouvir, aquele sentimento de segurança e de protecção que os homens mais velhos podem dar a uma mulher jovem.

Casámos discretamente no dia 1 de Junho de 1940. Dez dias depois, a Itália entrou na guerra. Por razões de segurança, a minha mãe refugiou-se numa aldeia da montanha, no Véneto, enquanto eu e o meu marido fomos para L'Aquila.

Tu, que só leste nos livros a história desses anos, que a estudaste em vez de a viver, talvez aches estranho que eu nunca tenha feito uma única alusão aos trágicos acontecimentos desse período. Havia o fascismo, as leis raciais, a guerra eclodira, e eu só continuava a preocupar-me com as minúsculas infelicidades pessoais, com as mili-métricas alterações da minha alma. Não penses porém que o meu comportamento era excepcional. Pelo contrário à excepção de uma pequena minoria politizada, toda a gente na nossa cidade se compor-tou da mesma maneira. O meu pai, por exemplo, considerava o fascismo uma palhaçada. Quando estava em casa, chamava «vende-dor de melancias» ao *duce*. No entanto, depois ia jantar com os dirigentes do partido e ficava a falar com eles até tarde. Eu também achava absolutamente ridículo e fastidioso ir ao «sábado italiano», marchar e cantar vestida como uma viúva. Mas ia na mesma, limita-va-me a pensar que era uma maçada a que tinha de me sujeitar para viver tranquila. Claro que um comportamento assim não tem nada de grandioso, mas é muito comum. Viver tranquilo é uma das aspirações supremas do homem, era-o nessa época e provavelmente ainda o é.

Em L'Aquila, fomos viver para casa da família do Augusto, um grande apartamento no primeiro andar de um palácio que ficava no centro. Os móveis eram escuros, pesados, a luz, escassa, o aspecto, sinistro. Mal entrei, senti o coração apertar-se-me. É aqui que tenho de viver, perguntei-me, com um homem que só conheço há seis meses, numa cidade em que não tenho um único amigo? O meu marido apercebeu-se logo da minha confusão e, durante as duas primeiras semanas, fez o que podia para me distrair. Dia sim dia não, metíamo-nos no automóvel e íamos passear para os montes em redor. Tínhamos ambos uma grande paixão pelas excursões. Ao ver aquelas montanhas tão bonitas, aquelas aldeias empoleiradas nos cocurutos como nos presépios, parecia-me que não tinha deixado o Norte, a minha casa. Continuávamos a falar muito. O Augusto amava a Natureza, sobretudo os insectos, e enquanto íamos andando explicava-me imensas coisas. É a ele que devo uma grande parte dos meus conhecimentos de ciências naturais.

No fim dessas duas semanas que foram a nossa lua-de-mel, ele voltou ao seu trabalho e eu comecei a minha vida, sozinha na grande casa. Tinha comigo uma velha criada, era ela quem se ocupava das tarefas mais importantes. Como todas as mulheres burguesas, eu só tinha de destinar o almoço e o jantar, quanto ao resto, não tinha nada que fazer. Adquiri o hábito de sair todos os dias sozinha para dar longos passeios. Percorria as ruas para trás e para a frente com passo frenético, tinha muitas coisas na cabeça e no meio dessas coisas todas não conseguia ver nada claro. Amo-o, dizia para comigo, parando de repente, ou foi tudo um grande erro? Quando estávamos sentados à mesa ou, à noite, na sala-de-estar, olhava-o e perguntava--me: o que é que eu sinto? Sentia ternura, isso era verdade, e tinha a certeza de que ele também a sentia por mim. Mas o amor seria aquilo? Seria só aquilo? Como nunca tinha experimentado nada de diferente, não era capaz de responder a mim mesma.

Passado um mês, chegaram aos ouvidos do meu marido os primeiros mexericos. «A alemã», tinham dito vozes anónimas, «anda a passear sozinha pelas ruas, a qualquer hora». Fiquei pasmada. Educada com hábitos diferentes, nunca poderia imaginar que uns passeios inocentes pudessem provocar escândalo. O Augusto estava sentido, percebia que, para mim, aquilo era incompreensível, mas, em nome da paz citadina e do seu bom nome, não deixou de me pedir para interromper as minhas saídas solitárias. Passados seis meses daquela vida, sentia-me totalmente morta. O pequeno cadáver cá dentro tinha--se transformado num cadáver enorme, comportava-me como um autómato, tinha os olhos baços. Quando falava, ouvia as minhas palavras ao longe, como se saíssem da boca de outra pessoa. Entretanto, tinha conhecido as mulheres dos colegas do Augusto e às quintas-feiras encontrava-me com elas num café do centro.

Embora fôssemos mais ou menos da mesma idade, a verdade é que pouco tínhamos a dizer umas às outras. Falávamos a mesma língua, mas era esse o único ponto em comum.

Regressado ao seu meio, o Augusto depressa começou a comportar-se como um homem da sua terra. Durante as refeições, passámos a estar quase em silêncio, quando eu tentava contar-lhe qualquer coisa, respondia com um «sim» e um «não» monossilábicos. À noite, ia muitas vezes ao clube, e quando ficava em casa, fechava-se no escritório a reorganizar as suas colecções de coleópteros. O seu grande sonho era descobrir um insecto que ainda ninguém conhecesse, assim o seu nome ficaria para sempre nos livros de ciências. Eu gostaria de transmitir o nome de outra forma, ou seja, dando à luz um filho, já tinha trinta anos e sentia o tempo escorregar-me dos ombros cada vez mais depressa. Sob esse ponto de vista, as coisas iam muito mal. Depois de uma primeira noite bastante frustrante, não tinha sucedido muito mais. Tinha a sensação de que o que o Augusto queria era encontrar alguém em casa à hora das refeições, alguém que ele pudesse exibir com orgulho aos domingos, na catedral; parecia não se importar muito com a pessoa que havia por detrás dessa imagem tranquilizante. Onde se teria metido o homem agradável e disponível dos tempos de namoro? Seria possível que o amor tivesse de acabar assim? O Augusto tinha-me contado que os pássaros, na Primavera, cantam mais alto para agradar às fêmeas, para as levar a fazer o ninho com eles. Ele tinha feito o mesmo, mal me viu segura no ninho, deixou de se interessar pela minha existência. Estava ali, mantinha-o quente, e isso bastava.

Odiava-o? Não, poderá parecer-te estranho, mas não conseguia odiá-lo. Para se odiar alguém, é preciso que esse alguém nos magoe, nos faça mal. O Augusto não me fazia nada, o problema era esse. É mais fácil morrer de nada do que de dor, contra a dor podemos revoltar-nos, contra o nada, não.

Quando falava com os meus pais, claro que dizia que estava tudo bem, esforçava-me por parecer uma jovem esposa feliz. Eles tinham a certeza de que me deixavam em boas mãos e eu não queria destruir a sua certeza. A minha mãe continuava escondida na montanha, o meu pai tinha ficado sozinho na casa da família com uma prima afastada, que tratava dele. «Novidades?» perguntava-me uma vez por mês e eu, regularmente, respondia que não, que ainda não. Ele queria muito ter um neto, a senilidade dera-lhe uma ternura que nunca tivera antes. Essa mudança fazia-me senti-lo um pouco mais perto de mim e desagradava-me frustrar a sua expectativa. Ao mesmo tempo, porém, não tinha suficiente confiança com ele para lhe contar os motivos daquela esterilidade tão prolongada. A minha mãe enviava longas cartas repletas de retórica. Minha adorada filha, escrevia ao alto da folha, e por baixo enumerava minuciosamente todas as poucas coisas que tinham acontecido nesse dia. No fim, comunicava-me sempre que tinha acabado de tricotar mais um fatinho para o neto que havia de chegar. Entretanto, eu ia-me enroscando em mim mesma, todas as manhãs, ao ver-me ao espelho, me achava mais feia. De vez em quando, à noite, dizia ao Augusto: «Porque não falamos?» «De quê?» respondia ele, sem levantar os olhos da lente com que examinava um insecto. «Não sei», dizia eu, «mas se contássemos qualquer coisa?». Então, ele abanava a cabeça: «Olga» dizia, «tens mesmo uma imaginação doentia».

É um lugar-comum dizer-se que os cães, após uma longa convivência com o dono, vão acabando a pouco e pouco por se parecer com ele. Tinha a impressão de que estava a acontecer o mesmo com o meu marido, quanto mais o tempo ia passando, mais se parecia com um coleóptero. Os seus movimentos já nada tinham de humano, não eram fluidos mas geométricos, os seus gestos eram bruscos. A voz também já não tinha timbre, saía com um rumor metálico de um qualquer lugar impreciso na garganta. Interessava-se de uma forma obsessiva pelos insectos e pelo seu trabalho mas, para além dessas duas coisas, não havia nada que lhe provocasse o mínimo entusiasmo. Uma vez, mostrou-me um insecto horrível, suspenso entre duas pinças, parece-me que se chamava ralo. «Olha só para estas mandíbulas», disse-me, «com isto pode comer tudo». Nessa mesma noite, sonhei com aquela forma, era enorme e devorava-me o vestido de noiva como se fosse de papelão.

Um ano depois, começámos a dormir em quartos separados, ele ficava a pé com os seus coleópteros até tarde e não queria incomodar-me, pelo menos foi o que disse. Contado assim, o meu casamento deve parecer-te algo de extraordinariamente terrível, mas de extraordinário não tinha nada. Naquela época, os casamentos eram quase todos assim, pequenos infernos domésticos a que uma pessoa tinha de se sujeitar, mais tarde ou mais cedo.

Porque não me revoltava, porque não pegava na mala e voltava para Trieste?

Porque, nessa altura, não havia nem separação, nem divórcio. Para se desfazer um casamento, tinha de haver graves maus-tratos, ou era preciso ter-se um temperamento rebelde, fugir, partir para sempre, errando pelo mundo. Mas a rebelião, como sabes, não faz parte do meu carácter e o Augusto nunca ergueu para mim um dedo, ou mesmo a voz. Nunca me deixou faltar nada. Aos domingos, ao voltarmos da missa, parávamos na pastelaria dos irmãos Nurzia e ele comprava-me tudo o que me eu queria. Não te será difícil imaginar como me sentia ao acordar todas as manhãs. Após três anos de casamento, só tinha uma ideia em mente: morrer.

O Augusto nunca me falava da primeira mulher e das raras vezes em que, discretamente, lhe fiz algumas perguntas acerca dela, mudou de assunto. Com o passar tempo, e enquanto vagueava nas tardes de Inverno por aquelas salas espectrais, convenci-me de que a Ada — era assim que se chamava a primeira mulher — não tinha morrido de doença ou de acidente, mas que se tinha suicidado. Quando a criada não estava em casa, passava o tempo a desaparafusar tábuas, a desmontar gavetas, procurava ansiosamente uma pista, um sinal que confirmasse as minhas suspeitas. Num dia de chuva, encontrei no fundo de um armário umas roupas de mulher, eram dela. Tirei um vestido escuro e vesti-o, tínhamos as mesmas medidas. Ao ver-me ao espelho, comecei a chorar. Chorava baixinho, sem um soluço, como quem sabe que o seu destino já está marcado. Num dos quartos da casa havia um genuflexório de madeira maciça que pertencera à mãe do Augusto, uma mulher muito devota. Quando não sabia o que fazer, fechava-me nesse quarto e ali ficava durante horas e horas, com as mãos juntas. Rezava? Não sei. Falava ou tentava falar com alguém que eu supunha estar acima da minha cabeça. Dizia: Senhor, ajuda-me a encontrar o meu caminho, se o meu caminho é este, ajuda-me a suportá-lo. As idas habituais à igreja — a que tinha sido obrigada pelo meu estado de mulher casada — levaram-me a fazer de novo muitas perguntas acerca de muitas coisas, perguntas que tinha enterrado em mim desde a infância. O incenso e a música do órgão aturdiam-me. Ao ouvir as Sagradas Escrituras, algo vibrava debilmente cá dentro. No entanto, quando via o padre na rua sem os paramentos sagrados, com aquele nariz que parecia uma esponja e aqueles olhos de porco, quando ouvia as suas perguntas banais e irremediavelmente falsas, deixava de vibrar e dizia para comigo, pois é, tudo isto não passa de uma burla, de uma forma de levar os espíritos fracos a suportar a opressão em que vivemos. Apesar disso, no silêncio da casa, gostava de ler o Evangelho. Havia muitas palavras de Jesus que eu achava extraordinárias, entusiasmavam-me tanto que as repetia muitas vezes em voz alta.

A minha família não era religiosa, o meu pai considerava-se um livre pensador e a minha mãe, convertida há duas gerações, como já te disse, ia à missa por mero conformismo social. Nas raras vezes em que lhe fiz perguntas acerca das coisas da fé, disse-me: «Não sei, a nossa família não é religiosa». Não é religiosa. Esta frase pesou como um rochedo na fase mais delicada da minha infância, aquela em que me interrogava acerca das coisas mais importantes. Naquelas palavras havia algo de infamante, tínhamos abandonado uma religião para abraçar outra pela qual não sentíamos o mínimo respeito. Éramos uns traidores e como traidores não havia lugar para nós nem no céu nem na terra, nem em nenhum sítio.

Por isso, até aos trinta anos, tirando as poucas histórias que tinha aprendido com as freiras, não sabia nada sobre religião. O reino de Deus está dentro de vós, repetia para mim mesma, dirigindo-me para a casa vazia. Repetia-o e tentava imaginar onde é que Ele estava. Via o meu olho descer como um periscópio ao mais profundo de mim, perscrutar as enseadas do meu corpo, os recantos muito mais misteriosos da mente. Onde estaria o reino de Deus? Não conseguia vê-lo, o que havia em torno do meu coração era neblina, uma neblina pesada, não as colinas verdejantes e luminosas que imaginava haver no paraíso. Nos momentos de lucidez, dizia para comigo estou a ficar louca, como acontece às solteironas e às viúvas, lentamente, imperceptivelmente, fui caindo no delírio místico. Passados quatro anos daquela vida, era-me cada vez mais difícil distinguir as coisas falsas das verdadeiras. Os sinos da Catedral tocavam de quarto em quarto de hora, para não ouvir, ou para os ouvir menos distintamente, enfiava algodão nos ouvidos.

Andava obcecada com a ideia de os insectos do Augusto não estarem verdadeiramente mortos, de noite ouvia-lhes os estalidos das patas pela casa, andavam por todo o lado, subiam pelo papel das paredes, rangiam nos ladrilhos da cozinha, arrastavam-se pelos tapetes da sala de estar. Estavam na minha cama, continham a respiração, à espera de entrarem no meu quarto pela frincha da porta. Fazia os possíveis para o Augusto não reparar no meu estado. De manhã, com um sorriso nos lábios, dizia-lhe o que ia mandar fazer para o almoço, e continuava a sorrir até ele sair de casa. Quando ele voltava, recebia-o com o mesmo sorriso estereotipado.

Como o meu casamento, também a guerra estava no seu quinto ano, no mês de Fevereiro as bombas também cairam sobre Trieste. Durante o último ataque, a casa da minha infância ficou totalmente destruída. A única vítima foi o cavalo da caleche do meu pai, encontraram-no no meio do jardim sem duas patas.

Nessa altura não havia televisão, as notícias viajavam mais lentamente. Soube que tínhamos perdido a casa no dia seguinte, telefonou-me o meu pai. Pela maneira como disse «Estou», percebi logo que tinha sucedido algo de grave, a voz dele era a de uma pessoa que já deixou de viver há algum tempo. Sem um lugar para onde pudesse voltar, senti-me verdadeiramente perdida. Durante dois ou três dias, andei pela casa como em transe. Não havia nada que conseguisse fazer-me sair daquele torpor, numa única sequência, monótona e monócroma, via passar os meus anos, uns a seguir aos outros, até à morte.

Sabes qual é um erro que cometemos sempre? Acreditar que a vida é imutável, que, mal escolhemos um carril, temos de o seguir até ao fim. Contudo, o destino tem muito mais imginação do que nós. Precisamente quando se pensa que se está num beco sem saída, quando se atinge o cúmulo do desespero, com a velocidade de uma rajada de vento tudo muda, tudo se transtorna, e de um momento para o outro damos por nós a viver uma nova vida.

Dois meses depois do bombardeamento da casa, a guerra acabou. Eu parti logo para Trieste, o meu pai e a minha mãe já se tinham mudado para um apartamento provisório, com outras pessoas. Havia tantas coisas práticas a tratar que só passado uma semana é que me lembrei dos anos passados em L'Aquila. Um mês depois, chegou o Augusto. Tinha de reassumir a direcção da empresa que comprara ao meu pai, durante todos aqueles anos de guerra tinha-a entregue a um gestor e quase não tinha funcionado. Além disso, havia o meu pai e a minha mãe, que não tinham casa e já estavam muito velhos. Com uma rapidez que me surpreendeu, o Augusto decidiu deixar a sua cidade e transferir-se para Trieste, comprou esta pequena moradia no planalto e antes do Outono viemos todos viver para cá.

Contrariamente a todas as previsões, a minha mãe foi a primeira a partir, morreu pouco depois do início do Verão. O seu temperamento teimoso tinha ficado minado pelo período de solidão e de medo. Com o seu desaparecimento voltei a sentir intensamente o desejo de ter um filho. Dormia outra vez com o Augusto, mas, apesar disso, entre nós, de noite, pouco ou nada sucedia. Passava muito tempo sentada no jardim com o meu pai. Foi mesmo ele, durante uma tarde ensolarada, que me disse: «As águas podem fazer milagres para o fígado e para as mulheres».

Duas semanas depois, o Augusto acompanhou-me ao comboio para Veneza. Aí, ao fim da manhã, apanharia outro comboio para Bolonha, e depois de ter mudado mais uma vez, chegaria à noitinha a Porretta Terme. Para falar verdade, não acreditava lá muito nos efeitos das termas, se tinha decidido partir era sobretudo porque desejava muito estar só, sentia necessidade de estar na companhia de mim mesma de uma forma diferente dos anos passados. Tinha sofrido. Dentro de mim estava quase tudo morto, era como um prado depois de um incêndio, estava tudo negro, carbonizado. Só com a chuva, o sol e o ar é que o pouco que tinha ficado poderia, a pouco e pouco, ir encontrando forças para voltar a crescer.

10 de Dezembro

Desde que te foste embora que não leio o jornal, não estás cá tu para o comprar e ninguém mo traz. De início essa falta provocava--me um certo mal-estar, mas depois, esse mal-estar foi-se transformando em alívio. Nessa altura, lembrei-me muito do pai de Isaac Singer. Um dos piores hábitos do homem moderno, dizia ele, é a leitura dos jornais diários. De manhã, no momento em que o espírito está mais aberto, derramam sobre a pessoa todo o mal que o mundo produziu no dia anterior. No tempo dele, não ler os jornais era o suficiente para se ser salvo, hoje já não é possível; há a rádio, a televisão, basta ligá-las por um segundo para o mal vir ter connosco, penetrar em nós.

Foi o que aconteceu hoje de manhã. Enquanto me vestia, ouvi no noticiário regional que os comboios de fugitivos foram autorizados a transpor a fronteira. Estavam lá parados há quatro dias, não os deixavam seguir em frente e já não podiam voltar para trás. A bordo havia velhos, doentes, mulheres sozinhas com os filhos. Segundo disse o locutor, o primeiro contingente já chegou ao acampamento da Cruz Vermelha e recebeu os primeiros socorros. A presença de uma guerra tão próxima e tão primordial perturba-me muito. Vivo com um espinho cravado no coração, desde que essa guerra eclodiu. É uma imagem banal, mas, na sua banalidade, exprime bem o que sinto. Passado um ano, à dor unia-se a indignação, parecia-me impossível que ninguém interviesse para pôr fim àquela carnificina. Depois, tive de me resignar: para aqueles lados, não há poços de petróleo; só há montanhas pedregosas. Com o passar do tempo, a indignação foi-se convertendo em raiva, raiva que continua a pulsar dentro de mim, como um caruncho teimoso.

É ridículo que na minha idade continue a ficar assim impressionada com a guerra. Afinal, à face da terra travam-se dezenas e dezenas no mesmo dia, em oitenta anos já devia ter formado algo semelhante a um calo, um hábito. Desde que nasci, a erva alta e amarela do Carso foi atravessada por fugitivos e exércitos, vitoriosos ou em debandada: primeiro, foram os comboios militares da infantaria da Primeira Grande Guerra e a explosão das bombas no planalto; depois, foi o desfilar dos sobreviventes da campanha da Rússia e da Grécia, as chacinas fascistas e nazis, os massacres nas colinas; e agora, mais uma vez, o rumor dos canhões na linha de fronteira, o êxodo de inocentes em fuga da grande matança dos Balcãs.

Há uns anos atrás, no comboio de Trieste para Veneza, viajei no mesmo compartimento com uma medium. Era uma mulher um pouco mais nova do que eu que usava um chapeuzinho que parecia uma fogaça. Claro que eu não sabia que ela era medium, foi ela quem o disse ao falar com a que ia ao lado dela.

«Sabe, dizia-lhe ela, enquanto atravessávamos o planalto cársico, «ao andar aqui por cima ouço todas as vozes dos mortos, não posso dar dois passos sem ficar surda. Gritam todos de uma forma terrível, quanto mais cedo morreram, mais alto gritam». Depois explicou-lhe que nos locais onde se tinha dado um acto violento, o ar ficava alterado para sempre: o ar fica corroído, deixa de ser compacto, e essa corrosão, em vez de gerar sentimentos brandos, favorece outros excessos. Em suma, nos locais onde se derramou sangue, derramar-se-á sangue, e sobre esse sangue, outro ainda. «A terra», disse a medium, a terminar o seu discurso, «é como um vampiro, mal se sacia de sangue, quer sangue novo, fresco, cada vez mais».

Durante muitos anos perguntei a mim mesma se este lugar onde vivemos não contém em si uma maldição, perguntei e continuo a perguntar, mas não consigo arranjar uma resposta. Lembras-te de quantas vezes fomos as duas à fortaleza de Monrupino? Nos dias de bora, passávamos horas e horas a observar a paisagem, era quase como se estivéssemos num avião e olhássemos cá para baixo. O panorama abria-se à nossa frente, fazíamos competições para ver quem identificava primeiro um cume dos Dolomitas, quem distinguia Grado de Veneza. Agora, que já não me é possível ir lá materialmente, tenho de fechar os olhos para ver a mesma paisagem.

Graças à magia da memória, tudo surge à minha frente e à minha volta, como se eu estivesse no miradouro da fortaleza. Não falta nada, nem o rumor do vento, nem os cheiros da estação que escolhi. Estou lá, olho para os pilares de calcário roídos pelo tempo, para o grande espaço árido onde os tanques se exercitam , para o promontório escuro da Ístria imerso no azul do mar, observo tudo em redor e pergunto a mim mesma, mais uma vez: se há alguma nota que destoa, onde está ela?

Gosto desta paisagem, e esse amor talvez me impeça de responder, a única coisa de que tenho a certeza é da influência do aspecto externo sobre o carácter de quem aqui vive. Se somos muitas vezes tão ásperos e bruscos, se tu própria o és, devemo-lo ao Carso, à sua erosão, às suas cores, ao vento que o açoita. Se tivéssemos nascido, sei lá, entre as colinas da Úmbria, talvez fôssemos mais afáveis, a irritação não faria parte do nosso temperamento. Teria sido melhor? Não sei, não se pode imaginar uma situação que não se viveu.

Seja como for, esta manhã, quando vim à cozinha, soltei uma praga inofensiva, ao encontrar a melra inerte no meio dos trapos. Nos últimos dois dias, já tinha dado alguns sinais de não estar bem, comia menos e entre um bocado e outro ficava amodorrada. Deve ter morrido pouco antes da madrugada porque, quando peguei nela, a cabeça oscilava-lhe para um lado e para o outro como se a mola lá dentro se tivesse partido. Era leve, frágil, estava fria. Acariciei-a durante algum tempo antes de a embrulhar num paninho, queria dar-lhe um pouco de cor. Lá fora caía neve derretida, fechei o *Buck* num quarto, e saí. Já não tenho forças para pegar na enxada e cavar, por isso escolhi o canteiro de terra mais mole. Fiz uma pequena cova com o pé, meti lá dentro a melra, voltei a cobri-la e, antes de voltar para casa, rezei a oração que repetíamos sempre quando enterrávamos os nossos passarinhos. «Senhor, recebe esta pequenina vida, como recebeste todas as outras».

Lembras-te de quantos socorremos e tentámos salvar, quando eras pequena? Depois de um dia de vento, encontrávamos sempre um ferido, eram tentilhões, melharucos, pardais, melros, e uma vez até um bico-cruzado. Fazíamos tudo para os curar, mas os nossos tratamentos quase nunca davam resultado, de um dia para o outro, sem qualquer sinal premonitório, encontrávamo-los mortos. Então, era uma tragédia, embora já tivesse acontecido tantas vezes ficavas na mesma transtornada. Depois de os enterrarmos, enxugavas o nariz e os olhos com a palma da mão, e ias fechar-te no teu quarto, «a arranjar lugar».

Um dia perguntaste-me como havíamos de fazer para encontrar a tua mãe, o céu era tão grande que era muito fácil as pessoas perderem-se. Disse-te que o céu era uma espécie de estalagem, que toda a gente tinha lá um quarto e que, nesse quarto, todos aqueles que se tinham amado voltavam a encontrar-se depois de mortos e ficavam juntos para sempre. Durante algum tempo, esta minha explicação sossegou-te. Só quando morreu o teu quarto ou quinto peixe vermelho é que voltaste ao assunto, e perguntaste-me: «E se já não há espaço?» «Se já não há espaço», respondi-te, «tem de se fechar os olhos e dizer durante um minuto "quarto, fica maior". E, de repente, o quarto ficava maior.»

Guardas ainda na memória estas imagens infantis ou será que a tua couraça já as escorraçou? Só me lembrei delas hoje, ao enterrar a melra. Quarto fica maior, que rica magia! É certo que, com a tua mãe, os grilos, os pardais e os peixes vermelhos, o teu quarto já deve estar tão apinhado como as bancadas de um estádio. Em breve também eu morrerei, querer-me-ás no teu quarto ou terei de alugar um perto? Poderei convidar a primeira pessoa que amei, poderei finalmente apresentar-te o teu verdadeiro avô?

O que terei eu pensado, o que terei imaginado naquela noite de Setembro, quando desci do comboio na estação de Porretta? Absolutamente nada. Cheirava a castanhas, e a minha primeira preocupação foi descobrir a pensão onde tinha reservado um quarto. Nessa altura, ainda era muito ingénua, ignorava a actividade incessante do destino, se estava convencida de alguma coisa era apenas de que as coisas só acontecem pelo uso, bom ou menos bom, da minha vontade. No instante em que pousei os pés e a mala no cais, a minha vontade estava reduzida a zero, eu não queria nada, ou melhor, só queria uma coisa: estar sossegada.

Encontrei o teu avô logo na primeira noite, estava a comer na sala de jantar da minha pensão, acompanhado por outra pessoa. À parte um velhote, não havia mais hóspedes. Ele estava a discutir política com grande fervor, o seu tom de voz importunou-me logo. Durante o jantar, olhei para ele umas duas vezes com uma expressão um tanto enfastiada. Qual não foi a minha surpresa, no dia seguinte, ao descobrir que era o médico das termas! Durante uns dez minutos fez-me perguntas sobre o meu estado de saúde, quando ia para me despir sucedeu-me uma coisa muito embaraçosa, comecei a suar como se estivesse a fazer um grande esforço. Ao auscultar-me, exclamou: «Ena, que medo!» e desatou a rir de uma forma bastante irritante. Mal começou a premir o manómetro da pressão, a colunazinha de mercúrio saltou logo para os valores máximos. «Sofre de hipertensão?», perguntou-me ele. Estava furiosa comigo mesma, tentava dizer para comigo o que é que isto tem de terrível, é só um médico que está a fazer o que lhe compete, não é normal nem sério que eu me agite assim tanto. No entanto, embora o dissesse e repetisse, não conseguia acalmar-me. À porta, ao dar-me o papel com o tratamento, apertou-me a mão. «Descanse, retome fôlego», disse, «senão nem as águas darão resultado.»

Nessa mesma noite, depois do jantar, veio sentar-se à minha mesa. No dia seguinte, já passeávamos juntos, tagarelando pelas ruas da aldeia. Aquela vivacidade impetuosa, que no início me irritara tanto, começava a interessar-me. Em tudo o que ele dizia havia paixão, entusiasmo, era impossível estar junto dele sem nos sentirmos contagiados pelo calor que emanava das suas frases, pelo calor do seu corpo.

Há tempos li num jornal que, segundo as últimas teorias, o amor não nasce do coração, mas do nariz. Quando duas pessoas se encontram e agradam uma à outra, começam a enviar uma à outra pequenas hormonas cujo nome não recordo, hormonas que penetram no nariz e vão até ao cérebro, onde, num meandro secreto qualquer, provocam a tempestade do amor. Em suma, os sentimentos, concluía o artigo, não passam de fedores invisíveis. Que tolice absurda! Quem na sua vida sentiu o amor verdadeiro, o amor grande e sem palavras, sabe que estas afirmações não são mais do que uma partida de mau gosto para banir o coração. É certo que o cheiro da pessoa amada provoca grandes perturbações. No entanto, para que isso aconteça, antes tem de ter havido qualquer outra coisa, qualquer coisa que é de certeza muito diferente do que um mero fedor.

Naqueles dias, junto do Ernesto, senti pela primeira vez na minha vida que o meu corpo não tinha limites. Em volta de mim sentia uma espécie de halo impalpável, era como se os contornos fossem mais vastos e essa vastidão vibrasse no ar a cada movimento. Sabes como se comportam as plantas quando não são regadas durante uns dias? As folhas começam a ficar moles, em vez de se erguerem para a luz, pendem como as orelhas de um coelho deprimido. Sim, a minha vida nos anos anteriores assemelhara-se à de uma planta sem água, o orvalho da noite tinha-me dado o alimento mínimo para sobreviver, mas à parte disso não recebia mais nada, só tinha forças para me manter de pé. Basta molhar a planta uma só vez

86

para que ela recupere, para que as suas folhas se ergam. Foi o que me aconteceu nessa primeira semana. Seis dias depois de ter chegado, ao ver-me de manhã ao espelho, reparei que era outra. A minha pele estava mais lisa, os olhos mais brilhantes, enquanto me vestia comecei a cantar, coisa que já não fazia desde criança.

Ouvindo a história do exterior, talvez seja natural que penses que sob toda essa euforia havia perguntas, uma inquietação, um tormento. Afinal eu era uma mulher casada, como podia aceitar tão levianamente a companhia de outro homem? Mas não, não havia nenhuma pergunta, nehuma suspeita. E não por ser particularmente despreconceituosa, mas porque aquilo que estava a viver tinha a ver com o corpo, só com o corpo. Era como um cachorrinho que, depois de ter vagueado por muito tempo pelas ruas de Inverno, descobre uma toca quente, e não quer saber de mais nada, está lá e saboreia o calor. Além disso, não tinha em grande estima o meu fascínio feminino e por conseguinte nem sequer me passava pela cabeça a ideia de que um homem pudesse sentir qualquer interesse por mim.

No primeiro Domingo, ia eu a pé para a missa, o Ernesto aproximou-se ao volante de um automóvel. «Para onde vai?» perguntou-me, debruçando-se da janela, e mal lhe respondi ele abriu a porta, dizendo: «Acredite que Deus fica muito mais contente se, em vez de ir à igreja, vier dar um belo passeio pelos bosques». Depois de muitas voltas e muitas curvas chegámos ao início de um carreiro que se embrenhava por entre os castanheiros. Eu não levava sapatos próprios para andar por um caminho esburacado, tropeçava a cada passo. Quando o Ernesto me pegou na mão, pareceu-me que era a coisa mais natural do mundo. Caminhámos durante muito tempo em silêncio. Cheirava a Outono, a terra estava húmida, já havia muitas folhas amarelas nas árvores, a luz, passando através delas, consumia-se em tonalidades diversas. A certa altura, no meio da clareira, encontrámos um castanheiro enorme. Lembrando-me do meu carvalho, fui até lá, primeiro acariciei-o com a mão, depois encostei a face ao seu tronco. Logo a seguir, o Ernesto pousou a cabeça ao pé da minha. Desde que nos conhecíamos nunca tínhamos estado com os olhos tão perto um do outro.

No dia seguinte, não quis vê-lo. A amizade estava a transformar-se em algo mais e eu precisava de reflectir. Já não era uma rapariguinha, mas uma mulher casada com todas as suas responsabilidades, ele também era casado e além do mais tinha um filho. Já tinha previsto toda a minha vida até à velhice, o facto de nela irromper algo que eu não tinha calculado provocava-me uma grande ansiedade. Não sabia como proceder. Ao primeiro impacte, o novo atemoriza, para se conseguir continuar em frente há que superar essa sensação de alarme. Por isso, havia momentos em que pensava: «É uma grande tolice, a maior da minha vida, tenho de esquecer tudo, apagar o pouco que houve». Mas, no momento seguinte, dizia para comigo que a maior asneira seria precisamente renunciar porque, pela primeira vez desde a infância, sentia-me de novo viva, tudo vibrava à minha volta, dentro de mim, parecia-me impossível ter de renunciar a esse novo estado. Para além disso, tinha naturalmente uma suspeita, a suspeita que têm, ou pelo menos tinham, todas as mulheres: que ele estivesse a brincar comigo, que quisesse apenas divertir-se. Todos estes pensamentos se agitavam na minha cabeça quando estava sozinha naquele triste quarto de pensão.

Nessa noite, não consegui adormecer antes das quatro, estava demasiado excitada. Contudo, na manhã seguinte, não me sentia nada cansada e ao vestir-me comecei a cantar; naquelas poucas horas tinha nascido em mim uma tremenda vontade de viver. Dez dias depois de ter chegado, escrevi um postal ao Augusto: Óptimo ar, comida medíocre. Esperemos, escrevi, e despedi-me com um abraço afectuoso. A noite anterior tinha-a passado com o Ernesto.

E nessa noite, de repente, apercebi-me de uma coisa, ou seja, que entre a nossa alma e o nosso corpo há muitas janelas; se estão abertas, deixam passar as emoções, se estão fechadas filtram apenas, só o amor as pode escancarar a todas ao mesmo tempo e de repente, como uma rajada de vento.

Na última semana da minha estada em Porretta, estivemos sempre juntos, dávamos longos passeios, falávamos até termos a garganta seca. Que diferentes eram as conversas do Ernesto e do Augusto! Nele tudo era paixão, entusiasmo, sabia entrar nos assuntos mais difíceis com uma simplicidade absoluta. Falávamos muitas vezes de Deus, da possibilidae de existir outra coisa para além da realidade tangível. Ele tinha estado na Resistência, por mais de uma vez tinha visto a morte à sua frente. Nesses momentos, tinha tido a ideia da existência de algo superior, não gerada pelo medo mas pela dilatação da consciência num espaço mais vasto. «Não posso obedecer aos ritos», dizia-me, «nunca irei a um lugar de culto, nunca poderei acreditar nos dogmas, nas histórias inventadas por outros homens como eu». Roubávamos as palavras da boca um do outro, pensávamos as mesmas coisas, dizíamo-las do mesmo modo, parecia que nos conhecíamos há muitos anos e não apenas há duas semanas.

Restava-nos pouco tempo, nas últimas noites não tínhamos dormido mais de uma hora, amodorrávamo-nos o tempo suficiente para recuperar forças. O Ernesto interessava-se muito pela predestinação. «Na vida de cada homem», dizia ele, «só existe uma mulher com quem é possível conseguir a união perfeita e, na vida de cada mulher, só existe um homem com quem pode sentir-se completa». Todavia, poucos, muito poucos, acabavam por se encontrar. Os outros eram obrigados a viver num estado de insatisfação, de nostalgia perpétua. «Quantos encontros haverá assim», dizia ele na escuridão do quarto, «um em dez mil, um num milhão, um em dez milhões?» Um em dez milhões, sim. Os outros são ajustamentos, simpatias epidérmicas, transitórias, afinidades físicas ou de carácter, convenções sociais. Depois destas considerações, repetia constantemente: «Que sorte nós tivemos, hem? Quem sabe o que haverá por detrás disto, quem sabe?»

No dia da partida, enquanto esperávamos pelo comboio na minúscula estação, abraçou-me e sussurrou-me ao ouvido: «Em que vida nos conhecemos já?» «Em muitas», respondi-lhe eu, e comecei a chorar. Escondida na bolsa, tinha a direcção dele em Ferrara.

Será inútil descrever-te os meus sentimentos naquelas longas horas de viagem, eram demasiado convulsos, demasiado antagónicos. Sabia que tinha de me metamorfosear, andava num vaivém para o *toilette* para controlar a expressão do meu rosto. O brilho nos olhos e o sorriso tinham de desaparecer, de se apagar. A atestar a boa qualidade do ar só devia haver o colorido das faces. Tanto o meu pai como o Augusto me acharam extraordinariamente melhor. «Eu bem sabia que as águas fazem milagres», repetia o meu pai constantemente, enquanto o Augusto me rodeava de pequenas gentilezas, coisa que nele era quase incrível.

Quando sentires amor pela primeira vez, compreenderás até que ponto os seus efeitos podem ser variados e cómicos. Enquanto não te apaixonares, enquanto o teu coração estiver livre e o teu olhar não for de ninguém, nenhum dos homens que poderiam interessar-te se digna interessar-se por ti; depois, no momento em que te prendes a uma única pessoa e os outros não te importam absolutamente nada, todos te seguem, todos dizem palavras ternas, todos te fazem a corte.

É o efeito das janelas de que falei antes: quando estão abertas, o corpo ilumina a alma e a alma ilumina o corpo, como num sistema de espelhos. Passado pouco tempo, forma-se à tua volta uma espécie de halo que atrai os outros homens, como o mel atrai os ursos. O Augusto não tinha escapado a esse efeito e eu, embora possa parecer-te estranho, também não sentia qualquer dificuldade em ser simpática com ele. É certo que se o Augusto estivesse um pouco mais a par das coisas do mundo, se fosse um pouco mais malicioso, não lhe seria difícil perceber o que tinha sucedido. Pela primeira vez desde que estávamos casados, dei por mim a agradecer aos seus horripilantes insectos.

Pensava no Ernesto? Claro, não fazia praticamente mais nada. Pensar, porém, não é o termo exacto. Mais do que pensar, existia em função dele, ele existia em mim, éramos uma só pessoa em cada gesto, em cada pensamento. Quando nos despedimos, combinámos que seria eu a primeira a escrever; para ele o poder fazer, eu tinha de arranjar a direcção de uma amiga fiel para onde ele pudesse enviar as cartas. Escrevi-lhe a primeira carta na véspera do dia dos mortos. O período que se seguiu foi o mais terrível de toda a nossa relação. Quando se está longe, nem os amores maiores, os mais absolutos, estão isentos de dúvidas. De manhã, abria os olhos quando lá fora ainda estava escuro, e ficava imóvel e em silêncio ao lado do Augusto. Eram os únicos momentos em que tinha de ocultar os meus sentimentos. Pensava naquelas três semanas. E se o Ernesto, pensava, fosse apenas um sedutor, alguém que por fastio se divertia nas termas com as mulheres sós? Quanto mais os dias iam passando, mais esta suspeita se ia transformando em certeza. Pronto, dizia para comigo, ainda que seja assim, ainda que esteja a comportar-me como a mais ingénua das mulheres, não foi uma experiência negativa ou inútil. Se não tivesse cedido, envelhecia e morria sem nunca saber o que uma mulher pode sentir. Até certo ponto, compreendes, tentava pôr as mãos à frente, atenuar o golpe.

Tanto o meu pai como o Augusto repararam que o meu humor tinha piorado: zangava-me por uma coisa de nada, mal um deles entrava numa sala, eu saía para ir para outra, precisava de estar só. Passava constantemente em revista as semanas que tínhamos passado juntos, examinava-as freneticamente, minuto a minuto, para descobrir um indício, uma prova que me indicasse o caminho a seguir. Quanto durou esse suplício? Um mês e meio, quase dois. Na semana antes do Natal, a casa da amiga que servia de intermediária chegou finalmente a carta, cinco páginas escritas com uma letra grande e arejada.

De repente, o bom humor voltou. Entre escrever e aguardar as respostas, passou o Inverno e passou a Primavera. A minha obsessão com o Ernesto alterava a minha percepção do tempo, todas as minhas energias estavam concentradas num futuro vago, no instante em que poderia voltar a vê-lo.

A profundidade da sua carta tinha-me dado a certeza do sentimento que nos unia. O nosso amor era grande, muito grande, e, como todos os amores verdadeiramente grandes, estava também em grande medida longe dos factos estritamente humanos. Talvez te pareça estranho que a grande distância não provocasse em nós um grande sofrimento, e talvez não seja exactamente verdade dizer que não sofríamos. Tanto eu como o Ernesto sofríamos com a distância forçada, mas era um sofrimento que se misturava a outros sentimentos, sob a emoção da espera, a dor passava para segundo plano. Éramos duas pessoas adultas e casadas, sabíamos que as coisas não podiam ser de outra forma. Provavelmente, se tudo isso tivesse acontecido nos nossos dias, passado nem um mês teria pedido a separação ao Augusto e o Ernesto tê-la-ia pedido à mulher, e antes do Natal já estávamos a viver na mesma casa. Teria sido melhor? Não sei. No fundo, não consigo deixar de pensar que a facilidade das relações banaliza o amor, transforma a intensidade da relação num entusiasmo passageiro. Sabes o que sucede quando, ao fazer um bolo, se mistura mal o fermento e a farinha? O bolo, em vez de crescer uniformemente, cresce só de um lado, ou melhor, rebenta e escorre da forma como se fosse lava. O mesmo se passa com a unicidade da paixão. Transborda.

Naquela altura, ter um amante, e conseguir estar com ele, não era coisa muito simples. Claro que para o Ernesto era mais fácil, como era médico podia sempre inventar um congresso, um concurso, um caso urgente, mas para mim que, para além da actividade de dona-de-casa, não tinha outra, era quase impossível. Tinha de inventar um compromisso, algo que me permitisse ausentar-me por algumas horas, ou mesmo por alguns dias, sem provocar qualquer suspeita. Por isso, antes da Páscoa, inscrevi-me numa sociedade de latinistas diletantes. Reuniam-se uma vez por semana e faziam frequentes excursões culturais. Conhecendo a minha paixão pelas línguas antigas, o Augusto não suspeitou de nada nem teve nada a objectar, até ficou contente por eu voltar a interessar-me pelo que me interessava antigamente.

O Verão desse ano chegou de repente. Em finais de Junho, como todos os anos, o Ernesto partiu para as termas e eu fui para a praia com o meu pai e o meu marido. Nesse mês, consegui convencer o Augusto de que não tinha desistido de querer um filho. No dia trinta e um de Agosto, muito cedo, com a mesma mala e o mesmo vestido do ano anterior, acompanhou-me ao comboio para Porretta. Estava tão excitada que, durante a viagem, não consegui estar quieta um instante, pela janela via a mesma paisagem que tinha visto no ano anterior, mas tudo me parecia diferente.

Estive nas termas durante três semanas, nessas três semanas vivi mais e mais profundamente do que em todo o resto da minha vida. Um dia, estava o Ernesto a trabalhar, ao passear pelo parque, pensei que o mais bonito seria morrer nesse instante. Parece estranho, mas a felicidade suprema, tal como a infelicidade suprema, traz sempre consigo este desejo contraditório. Tinha a sensação de que estava a caminhar há muito tempo, de que tinha andado durante anos e anos por caminhos escalavrados, pelo matagal; para seguir em frente abrira à machadada uma estreita passagem, avançara e não vira nada do que me rodeava — para além do que estava diante dos meus pés —; não sabia para onde ia, podia haver um abismo à minha frente, um precipício, uma grande cidade ou o deserto; depois, de repente, o matagal abrira-se, sem reparar tinha subido. Estava no cimo de um monte, o Sol tinha nascido há pouco e à minha frente, com matizes diversos, outros montes desciam para o horizonte; era tudo azul, uma brisa ligeira roçava pelo cume do monte, pelo cume do monte e pela minha cabeça, pela minha cabeça e pelos meus pensamentos. De vez em quando, ouvia-se um rumor lá em baixo, o ladrar de um cão, o sino de uma igreja. Tudo era ao mesmo tempo leve e intenso. Dentro e fora de mim tudo se tinha tornado claro, já nada se sobrepunha, já nada se interpunha, já não me apetecia descer, embrenhar-me no matagal; queria mergulhar em todo aquele azul e ali ficar para sempre, deixar a vida no seu momento mais sublime. Foi o que pensei até à noite, até ao momento de voltar a encontrar-me com o Ernesto. No entanto, durante o jantar, não tive coragem para lhe dizer, tinha medo de que ele desatasse a rir. Só já noite avançada, quando ele foi ter comigo ao meu quarto, quando chegou e me abraçou, é que aproximei a boca do seu ouvido para lhe contar. Queria dizer-lhe: «Quero morrer». Contudo, sabes o que lhe disse? «Quero um filho». Quando deixei Porretta, já sabia que estava grávida. Penso que o Ernesto também o sabia, nos últimos dias andava muito perturbado, confuso, ficava muitas vezes calado. Eu, não. O meu corpo tinha começado a modificar-se desde a manhã que se seguiu à concepção, os seios ficaram inesperadamente mais cheios, mais rijos, a pele do rosto estava mais luminosa. É realmente incrível o pouco tempo que o físico leva a adaptar-se ao seu novo estado. Por isso posso dizer-te que, mesmo não tendo feito a análise, embora a barriga ainda estivesse lisa, sabia muito bem o que tinha acontecido. De repente sentia-me cheia de uma grande luminosidade, o meu corpo começava a modificar-se, a expandir-se, a tornar-se poderoso. Antes disso, nunca tinha sentido nada semelhante.

Os pensamentos sérios só me assaltaram quando fiquei sozinha no comboio. Enquanto estive junto do Ernesto, não tive qualquer dúvida de que ficaria com a criança: o Augusto, a minha vida em Trieste, os mexericos das pessoas, tudo isso estava muito longe. Nessa altura, porém, todo esse mundo se estava a aproximar, a rapidez com que a gravidez evoluiria impunha-me que tomasse decisões o mais depressa possível e que — uma vez tomadas — as mantivesse para sempre. Paradoxalmente, compreendi logo que fazer um aborto seria muito mais difícil do que ter o filho. Um aborto não passaria despercebido ao Augusto. Como poderia justificá-lo perante ele depois de, durante tantos anos, ter insistido no desejo de ter um filho? E eu também não queria abortar, aquela criatura que crescia dentro de mim não tinha sido um erro, algo a eliminar o mais depressa possível. Era a realização de um desejo, talvez o maior e mais intenso desejo de toda a minha vida.

Quando se ama um homem — quando se ama com o corpo e com a alma —, desejar um filho é a coisa mais natural. Não é um desejo que tenha a ver com o intelecto, de uma escolha baseada em critérios de racionalidade. Antes de conhecer o Ernesto, pensava que queria um filho e sabia exactamente porque o queria e quais seriam os prós e os contras. Em suma, tratava-se de uma opção racional, queria um filho porque já tinha uma certa idade e estava muito só, porque era mulher e, se as mulheres não fazem nada, pelo menos podem fazer filhos. Compreendes? Se quisesse comprar um automóvel, teria adoptado exactamente o mesmo critério.

Mas, naquela noite, quando disse ao Ernesto: «Quero um filho», era algo de totalmente diferente, o bom senso opunha-se a essa decisão mas essa decisão era mais forte do que o bom senso. E depois, pensando bem, também não era uma decisão, era um frenesim, uma avidez de posse eterna. Queria o Ernesto dentro de mim, comigo, junto de mim, para sempre. Agora, ao leres como me comportei, é provável que fiques arrepiada de horror, que perguntes a ti mesma como é que nunca percebeste que eu ocultava facetas tão baixas, tão desprezíveis. Quando cheguei à estação de Trieste, fiz a única coisa que podia fazer: desci do comboio como uma mulher terna e apaixonadíssima. O Augusto ficou logo impressionado com a minha mudança, mas em vez de fazer perguntas deixou-se envolver.

Passado um mês, já era mais do que evidente que o filho era dele. No dia em que lhe anunciei o resultado da análise, saiu do escritório a meio da manhã e passou o dia todo comigo, a planear as mudanças a fazer na casa para a chegada da criança. Quando, encostando a minha cabeça à dele, gritei a notícia ao meu pai, ele pegou-me nas mãos com as suas mãos secas e ficou assim, parado durante uns instantes, enquanto os olhos lhe iam ficando húmidos e vermelhos. Há já algum tempo que a surdez o tinha excluído de grande parte da vida e os seus raciocínios avançavam aos sacões, entre uma frase e outra havia vazios inesperados, desvios ou pedaços de memórias que nada tinham a ver com o assunto. Não sei porquê, mas ao ver as suas lágrimas, o que senti não foi comoção, foi um ligeiro enfado. O que via nele era retórica, nada mais. Seja como for, não chegou a ver a neta. Morreu durante o sono, sem sofrer, estava eu no sexto mês de gravidez. Ao vê-lo muito composto no caixão, impressionou-me o quanto estava mirrado e decrépito. No rosto tinha a mesma expressão de sempre, distante e neutra.

Claro que, depois de ter recebido o relatório da análise, também escrevi ao Ernesto; a sua resposta não demorou doze dias. Esperei umas horas antes de ler a carta, estava muito agitada, receava que houvesse lá dentro algo de desagradável. Só ao fim da tarde é que me decidi a ler o conteúdo, para o poder fazer livremente fechei-me na casa-de-banho de um café. As suas palavras eram calmas e sensatas. «Não sei se isso será o melhor que há a fazer», dizia, «mas se foi assim que decidiste, respeito a tua decisão».

A partir desse dia, e já sem qualquer obstáculo, começou a minha espera tanquila de mãe. Sentia-me um monstro? Era-o? Não sei. Durante a gravidez e durante muitos anos que se seguiram, nunca tive uma dúvida ou um remorso. Como podia fingir que amava um homem quando trazia no ventre um filho de outro, que amava de verdade? Mas, sabes, na realidade, as coisas nunca são assim tão simples, nunca são pretas ou brancas, cada cor tem em sim muitos matizes diferentes. Não me custava nada ser simpática com o Augusto porque gostava de facto dele. Não o amava como amava o Ernesto, não o amava como uma mulher ama um homem, mas como uma irmã ama um irmão mais velho e um tanto ou quanto maçador. Se ele fosse mau, tudo seria diferente, nunca teria sonhado em fazer um filho e viver junto dele, mas ele era apenas mortalmente metódico e previsível; à parte disso, lá no fundo, era simpático e bom. Estava feliz por ter aquele filho e eu estava feliz por lho dar. Por que motivo iria revelar-lhe o segredo? Se o tivesse feito, teria mergulhado três vidas numa infelicidade permanente. Pelo menos era assim que pensava nessa altura. Agora, que há liberdade de movimentos, de opção, o que fiz pode parecer horrível, mas nessa época — quando dei por mim a viver essa situação — era um caso muito comum, não digo que houvesse um em cada casal, mas o facto de uma mulher conceber um filho de outro homem no âmbito de um matrimónio era de certeza mais frequente do que agora. E o que sucedia? O que sucedeu comigo, absolutamente nada. A criança nascia, crescia como os outros irmãos, atingia a idade adulta sem suspeitar fosse do que fosse. Nesse tempo, a família assentava em bases muito sólidas, para a destruir era preciso muito mais do que um filho diferente. Foi o que se passou com a tua mãe. Nasceu e passou logo a ser minha filha e do Augusto. A coisa mais importante para mim era que a Ilaria fosse fruto do amor e não do acaso, das convenções ou do tédio; pensava que isso eliminaria qualquer outro problema. Como me enganei!

Todavia, nos primeiros anos, tudo decorreu de uma forma natural, sem solavancos. Vivia para ela, era — ou julgava ser — uma mãe muito afectuosa e atenta. Desde o primeiro Verão que me habituei a passar os meses mais quentes com a menina na costa adriática. Alugámos uma casa e, de duas em duas ou de três em três semanas, o Augusto vinha passar o sábado e o domingo connosco.

Foi nessa praia que o Ernesto viu a filha pela primeira vez. Naturalmente, fingia ser um perfeito estranho, durante o passeio ia «por acaso» ao nosso lado, alugava um guarda-sol a poucos passos de distância e daí — quando o Augusto não estava —, dissimulando a sua atenção atrás de um livro ou de um jornal, observava-nos durante horas. À noite, escrevia-me longas cartas onde me contava tudo o que lhe tinha passado pela cabeça, o que sentia por nós, o que tinha visto. Entretanto, a mulher dele também tivera outro filho, ele tinha deixado o emprego sazonal das termas e tinha aberto consultó-rio na sua cidade, em Ferrara. Nos primeiros três anos da Ilaria, à parte esses encontros fingidamente casuais, nunca mais nos tínhamos visto. Eu estava muito presa pela menina, todas as manhãs acordava com a alegria de saber que ela existia, mesmo que quisesse não poderia dedicar-me a mais nada.

Pouco antes de nos deixarmos, durante a última estada nas ter-mas, eu e o Ernesto tínhamos firmado um pacto. «Todas as noites», dissera o Ernesto, «às onze horas em ponto, em qualquer lugar onde me encontre e seja em que situação for, sairei e, no céu, procurarei Sírio. Tu farás a mesma coisa e assim os nossos pensamentos, mes-mo que estejamos muito longe, mesmo que não nos tenhamos visto há muito tempo e ignoremos tudo um do outro, encontrar-se-ão lá em cima e estarão juntos.» Depois tínhamos ido à varanda da pensão e daí, subindo com o dedo por entre as estrelas, por entre Oríon e Betelgeuse, mostrou-me Sírio.

12 de Dezembro

Esta noite acordei de repente com um ruído, levei algum tempo a perceber que era o telefone. Quando me levantei, já tinha tocado algumas vezes, deixou de tocar mal cheguei junto dele. Ergui na mesma o auscultador, com uma voz incerta disse por duas ou três vezes «estou». Em vez de voltar para a cama, sentei-me na poltrona ali ao lado. Serias tu? Quem mais poderia ser? Aquele som no silêncio nocturno da casa agitou-me. Veio-me à ideia a história que uma das minhas amigas me contou aqui há uns anos. O marido já estava no hospital há algum tempo. Devido à rigidez dos horários, no dia em que ele morreu, não pôde estar junto dele. Alquebrada pela dor de o ter perdido daquela forma, na primeira noite não tinha conseguido dormir, estava ali, no escuro, quando, de repente, o telefone tocou. Ficou surpreendida, seria possível que alguém lhe telefonasse àquela hora para lhe dar os pêsames? Ao aproximar a mão do auscultador, ficou impressionada com um facto estranho: do telefone erguia-se uma auréola de luz tremulante. Mal atendeu, a surpresa transformou-se em terror. Havia uma voz muito ao longe, do outro lado do fio, falava a custo: «Marta», dizia por entre asso- bios e ruídos de fundo, «queria dizer-te adeus antes de partir...» Era a voz do marido. Depois de ele ter proferido aquela frase, ouviu por um instante um rumor forte de vento, logo depois a linha foi cortada e tudo voltou a ficar em silêncio.

Dessa vez tive pena da minha amiga pelo estado de profunda perturbação em que se encontrava: a ideia de que os mortos esco- lhiam os meios mais modernos para comunicarem parecia-me, pelo menos, estranha. No entanto, aquela história deve ter deixado um rasto qualquer na minha emotividade. Lá bem no fundo, muito no fundo, na parte mais ingénua e mais mágica de mim, talvez também eu espere que, mais tarde ou mais cedo, no coração da noite, alguém me telefone para me saudar do Além. Sepultei a minha filha, o meu marido e o homem que amava mais do que tudo no mundo. Morreram, já não existem, mas eu continuo a comportar-me como se tivesse sobrevivido a um naufrágio. A corrente levou-me a salvo até uma ilha, não sei nada dos meus companheiros, perdi-os de vista no momento exacto em que o barco se voltou, podem ter-se afogado — afagaram-se quase de certeza — mas também podem não se ter afogado. Apesar de terem passado meses e anos, continuo a perscrutar as ilhas vizinhas à espera de um sopro, de um sinal de fumo, algo que confirme a minha suspeita de que ainda vivem todos comigo, sob o mesmo céu.

Na noite em que o Ernesto morreu, acordei de repente com um forte ruído. O Augusto acendeu a luz e perguntou: «Quem é?» No quarto não havia ninguém, nada estava fora do lugar. Só na manhã seguinte, ao abrir a porta do armário, é que reparei que as prateleiras tinham caído todas e que as calças, *écharpes* e ceroulas estavam amontoadas umas em cima das outras .

Agora já posso dizer «na noite em que o Ernesto morreu». Nessa altura, porém, não o sabia, só tinha recebido uma carta, não podia nem de longe imaginar o que tinha acontecido. Pensei apenas que os apoios das prateleiras tinham apodrecido com a humidade e que o excesso de peso as tinha feito caír. A Ilaria tinha quatro anos, começara há pouco tempo a frequentar o jardim-escola, a minha vida com ela e com o Augusto instalara-se numa rotina tranquila. Naquela tarde, depois da reunião dos latinistas, fui para um café escrever ao Ernesto. Daí a dois meses havia uma reunião em Mântua, era a oportunidade por que esperávamos há muito tempo. Antes de voltar para casa, meti a carta no marco do correio e, a partir da semana seguinte, comecei a esperar pela resposta. Não recebi resposta, nem nessa semana nem na semana seguinte. Nunca tivera de esperar tanto tempo. Ao princípio, pensei que o correio se tinha extraviado, depois, que estava doente e que não tinha podido ir ao consultório levantar o correio. Um mês depois, escrevi-lhe um bilhete e continuei sem resposta. À medida que os dias iam passando, comecei a sentir-me como uma casa em cujos alicerces se tivesse infiltrado um curso de água. De início era uma corrente fina, discreta, lambia ao de leve as estruturas de cimento, mas depois, com o passar do tempo, tinha engrossado, tornara-se mais impetuosa, sob a sua força o cimento convertera-se em areia, embora a casa ainda estivesse de pé, embora aparentemente tudo estivesse normal, eu sabia que não era verdade, que bastaria o mínimo choque para fazer ruir a fachada e tudo o resto, para a fazer desabar como um castelo de cartas.

Quando parti para o congresso, era apenas a sombra de mim mesma. Depois de ter feito acto de presença em Mântua, fui direita a Ferrara, onde tentei perceber o que tinha acontecido. No consultório, ninguém respondia, olhando da rua viam-se as persianas sempre corridas. No segundo dia, fui a uma biblioteca e pedi para consultar os jornais dos meses anteriores. Vinha tudo numa local. Ao regressar, de noite, de uma visita a um doente, o Ernesto tinha perdido o controlo do carro e embatido num grande plátano, a morte fora quase imediata. O dia e a hora correspondiam aos da queda das prateleiras do meu armário.

Uma vez, numa daquelas revistas que a senhora Razman me traz de vez em quando, li na rubrica da astronomia que é Marte, na oitava casa, quem preside às mortes violentas. Segundo o que o artigo dizia, quem nasce com esta configuração de estrelas está destinado a não morrer tranquilo na sua cama. Se calhar, no céu do Ernesto e da Ilaria, Marte estava na oitava casa. Com mais de vinte anos de intervalo, o pai e a filha partiram de uma forma idêntica, embatendo com o carro numa árvore.

Depois da morte do Ernesto, caí num esgotamento profundo. De repente, apercebi-me de que a luz que me fizera brilhar nos últimos anos não vinha de dentro de mim, que era apenas um reflexo. A felicidade, o amor pela vida que tinha sentido não me pertenciam verdadeiramente, tinham apenas funcionado como um espelho. O Ernesto emanava luz e eu reflectia-a. Depois de ele desaparecer, tudo se tornou opaco. Ver a Ilaria já não me provocava alegria mas irritação, estava tão perturbada que cheguei mesmo a duvidar de que ela fosse de facto filha do Ernesto. Essa mudança não lhe passou despercebida, com as suas antenas de criança sensível notou a minha repulsa, tornou-se caprichosa, prepotente. Ela era a planta jovem e vital, e eu, a velha árvore prestes a ficar sufocada. Apercebia-se dos meus sentimentos de culpa como um polícia, servia-se deles para ir mais além. A casa transformou-se num pequeno inferno de discussões e gritos.

Para me aliviar esse peso, o Augusto contratou uma mulher para cuidar da menina. Durante algum tempo, tentou apaixoná-la pelos insectos, mas após três ou quatro tentativas — como ela gritava sempre «que nojo!» — desistiu. De repente, a sua idade começou a notar-se, mais do que pai da filha parecia um avô, era simpático com ela, mas distante. Quando passava pelo espelho do salão, também eu reparava que estava muito envelhecida, os meus traços deixavam transparecer uma dureza que nunca existira antes. Não cuidar de mim era um modo de manifestar o desprezo que sentia por mim mesma. Entre a escola e a empregada, tinha muito tempo livre. A inquietação levava-me a passá-lo na maior parte das vezes em movimento, pegava no carro e andava para a frente e para trás no Carso, conduzia como em transe.

Retomei algumas das leituras religiosas que tinha feito durante a minha permanência em L'Aquila. Procurava com furor uma resposta entre aquelas páginas. Enquanto caminhava ia repetindo para comigo a frase de santo Agostinho por ocasião da morte da mãe: «Não fiquemos tristes por tê-la perdido, agradeçamos por tê-la tido».

Uma amiga arranjou-me dois ou três encontros com o seu confessor, desses encontros saí ainda mais desconsolada do que antes. As palavras dele eram adocicadas, enalteciam a força da fé como se a fé fosse um género alimentício que estivesse à venda na primeira loja da rua. Eu não conseguia descobrir uma razão para a perda do Ernesto, a descoberta de que não possuía uma luz mesmo minha tornava ainda mais difíceis as tentativas para encontrar uma resposta. Sabes, quando o encontrei, quando o nosso amor nasceu, convenci-me de que toda a minha vida estava resolvida, sentia-me feliz por existir, feliz por tudo o que comigo existia, sentia que tinha chegado ao ponto mais alto do meu caminho, ao ponto mais estável, tinha a certeza de que nada nem ninguém conseguiria mover-me dali. Dentro de mim havia a segurança um tanto orgulhosa das pessoas que compreenderam tudo. Durante muitos anos, tinha estado convencida de que percorria o caminho com as minhas pernas, mas não tinha dado um único passo sozinha. Embora não me tivesse apercebido disso, debaixo de mim havia um cavalo, fora ele quem avançara no caminho, não eu. No momento em que o cavalo desapareceu, reparei nos meus pés, vi como eram fracos, queria andar e os tornozelos cediam, os passos que dava eram os passos pouco firmes de uma criança muito pequena ou de um velho. Por um instante pensei em agarrar-me a um bastão qualquer: a religião podia muito bem ser um, outro, o trabalho. Foi uma ideia que durou muito pouco. Quase logo percebi que seria mais um erro. Aos quarenta anos já não há espaço para os erros. Se de repente nos descobrimos nus, temos de ter a coragem de nos olharmos ao espelho tal como somos. Tinha de começar tudo do princípio. Sim, mas de onde? De mim mesma. Tão fácil de dizer e tão difícil de fazer. Onde estava eu? Quem era? Quando fora a última vez que tinha sido eu mesma? Como já te disse, andava tardes inteiras pelo planalto. Por vezes, quando pressentia que a solidão iria piorar ainda mais o meu humor, descia até à cidade, misturada à multidão andava para a frente e para trás nas ruas mais conhecidas, procurando um tipo qualquer de alívio. Era como se tivesse um emprego, saía de casa quando o Augusto saía e voltava quando ele voltava. O médico que me tratava tinha-lhe dito que, em certos esgotamentos, esse desejo de movimento era normal. Como em mim não havia ideias suicidas, não havia nenhum perigo em deixar-me passear; com todas aquelas correrias acabaria por me acalmar. O Augusto tinha aceite essas explicações, não sei se acreditava mesmo nelas ou se nele havia apenas indolência e desejo de tranquilidade, mas estava-lhe grata por se pôr à parte, por não contrariar a minha grande inquietação.

Todavia, o médico tinha razão numa coisa: naquele grande esgotamento depressivo não havia ideias suicidas. É estranho mas é mesmo assim, depois da morte do Ernesto nem por um instante pensei em matar-me, não penses que era a Ilaria que me detinha. Já te disse, naquele momento não me importava absolutamente nada com ela. Era mais como se em qualquer parte de mim pressentisse que aquela perda tão inesperada não terminava — não devia, não podia terminar — ali. Aquela perda tinha um sentido qualquer, sentido que eu via surgir diante de mim como um gigantesco degrau. Seria para eu o transpor? Provavelmente era, mas não conseguia imaginar o que havia por detrás dele, o que veria depois de ter saltado.

Um dia fui ter a um lugar onde nunca tinha estado antes. Havia uma pequena igreja com um pequeno cemitério em volta, aos lados, colinas cobertas de mato, no cimo de uma delas entrevia-se o cume claro de um castro. Um pouco mais acima da igreja havia duas ou três casas de camponeses, galinhas esgaravatavam à solta pelos caminhos, um cão preto ladrava. Na placa estava escrito Samatorza. Samatorza, soava a solidão, parecia ser o sítio apropriado para meditar. Havia um carreiro pedregoso, comecei a andar sem querer saber até onde levaria. O Sol já estava a pôr-se, mas quanto mais andava menos me apetecia parar, de vez em quando um gaio fazia-me estremecer. Havia algo que me impelia para a frente, só percebi o que era quando cheguei ao espaço aberto de uma clareira, quando vi lá no meio, plácido e majestoso, com os ramos abertos como braços prontos a acolher-me, um enorme carvalho.

É ridículo dizê-lo mas, mal o vi, o meu coração começou a bater de uma forma diferente, mais do que bater dir-se-ia que andava às voltas, parecia um animalzinho satisfeito, só fazia assim quando via o Ernesto. Sentei-me debaixo do carvalho, acariciei-o, encostei ao tronco as costas e a nuca.

Quando era rapariga, na capa do meu caderno de Grego escrevi o seguinte: *Gnosei seauton*. Aos pés do carvalho, aquela frase sepultada na memória veio-me de súbito à ideia. Conhece-te a ti mesmo. Ar, respiro.

16 de Dezembro

Esta noite nevou, mal me levantei vi o jardim todo branco. O *Buck* corria na relva como louco, saltava, ladrava, agarrava num ramo com a boca e atirava-o ao ar. Mais tarde chegou a senhora Razman, bebemos um café, e ela convidou-me para passar a noite de Natal com eles. «O que é que faz o dia todo?» perguntou-me ela, antes de se ir embora. Encolhi os ombros. «Nada», respondi, «vejo televisão, penso.»

Já não me pergunta por ti, andava discretamente à volta disse mas, pelo tom da sua voz, percebo que te considera uma ingrata. «Os jovens», diz ela muitas vezes no meio de uma conversa «não têm coração, já não têm o respeito que tinham antigamente.» Para não a deixar ir mais além, concordo com ela, mas estou intimamente convencida de que o coração é o mesmo de sempre, o que há é menos hipocrisia, mais nada. Os jovens não são naturalmente egoístas, tal como os velhos não são naturalmente sábios. Compreensão e superficialidade não têm nada a ver com os anos, mas com o caminho que cada pessoa percorre. Ainda não há muito tempo, li, já não sei onde, esta máxima dos índios da América: «Antes de julgares uma pessoa, caminha durante três luas com os seus *mocassins*». Agradou-me tanto que, para não me esquecer, copiei-a para o bloco que está ao pé do telefone. Vistas de fora, há muitas vidas que parecem falhadas, irracionais, loucas. Enquanto se está de fora, é fácil compreender mal as pessoas, as suas relações. Só de dentro, só caminhando durante três luas com os seus *mocassins* é que se pode compreender as motivações, os sentimentos, aquilo que faz agir uma pessoa de uma forma e não de outra. A compreensão nasce da humildade, não do orgulho do saber.

Quem sabe se não enfiarás as minhas pantufas depois de leres estas histórias? Espero que sim, espero que arrastes os chinelos de um quarto para o outro, que dês muitas vezes a volta ao jardim, da nogueira até à cerejeira, da cerejeira até à rosa, da rosa até àqueles antipáticos pinheiros negros que estão ao fundo do relvado. Espero que sim, não para pedinchar a tua compaixão, nem para ser absolvida postumamente, mas porque é necessário para ti, para o teu futuro. Compreender donde se vem, o que houve atrás de nós é o primeiro passo para se poder seguir em frente sem mentiras.

A tua mãe é que deveria ter escrito esta carta, não eu. Se não a tivesse escrito, então, sim, é que a minha existência seria de facto um fracasso. É natural cometer erros, partir sem os ter compreendido é que torna inútil o sentido de uma vida. As coisas que nos acontecem nunca são definitivas, gratuitas, cada encontro, cada pequeno aconte-cimento tem um significado, a compreensão de nós mesmos nasce da disponibilidade em aceitá-los, da capacidade de mudar de direcção em qualquer momento, de deixar a pele antiga, como as lagartixas na mudança de estação.

Se, naquele dia, há quase quarenta anos, não me tivesse vindo à ideia a frase do meu caderno de Grego, se não tivesse posto um ponto final de prosseguir, teria continuado a cometer os mesmos erros que tinha cometido até esse momento. Para afugentar a recor-dação do Ernesto, poderia ter arranjado outro amante, e depois outro e mais outro; na procura de uma cópia, na tentativa de repetir o que já tinha vivido, teria experimentado dezenas. Nenhum teria sido igual ao original e eu, cada vez mais insatisfeita, teria seguido em frente, talvez já velha e ridícula ter-me-ia rodeado de jovens. Ou poderia ter odiado o Augusto, no fundo fora também por causa da sua presença que me tinha sido impossível tomar decisões mais drásticas. Compreendes? A coisa mais fácil do mundo é encontrar escapatórias quando não queremos olhar para dentro de nós mesmos. Uma culpa exterior é coisa que existe sempre , tem de se ter muita coragem para aceitar que a culpa — ou melhor, a responsabilidade — só nos cabe a nós. No entanto, como já te disse, é essa a única forma de seguir em frente. Se a vida é um percurso, é um percurso sempre a subir.

Aos quarenta anos, compreendi de onde devia partir. Compreen-der onde devia chegar foi um processo demorado, cheio de obstá-culos, mas apaixonante. Sabes, às vezes, vejo na televisão, ou leio nos jornais todo esse proliferar de santões: o mundo está cheio de pessoas que, de um dia para o outro, desatam a obedecer aos seus ditames. Aterroriza-me o alastrar de todos esses mestres, as vias que propugnam para as pessoas encontrarem em si próprias a paz, a harmonia universal. São as antenas de uma enorme confusão geral. No fundo — e nem sequer muito no fundo — estamos no fim de um milénio, embora as datas sejam uma mera convenção, amedrontam na mesma, toda a gente espera que aconteça algo de tremendo, todos querem estar preparados. Então vão ter com os santões, inscrevem-se em escolas para se encontrarem a eles mesmos e, após um mês de frequência, estão já impregnados da arrogância que distingue os profetas, os falsos profetas. Mais uma grande e terrível mentira!

O único mestre que existe, o único verdadeiro e credível, é a nossa consciência. Para a encontrarmos temos de estar em silêncio — sozinhos e em silêncio —, temos de estar na terra nua, nus e sem nada à nossa volta, como se já estivéssemos mortos. De início não se sente nada, a única coisa que se sente é terror, mas depois, no fundo, lá ao longe, começa-se a ouvir uma voz, é uma voz tranquila e talvez nos irrite ao princípio por ser tão banal. É estranho, quando se espera ouvir as coisas maiores, o que surge diante de nós são as mais pequenas. São tão pequenas e tão óbvias que nos apetece gritar: «Como é possível, só isto?» Se a vida tem um sentido — dir-te-á essa voz —, esse sentido é a morte, todas as outras coisas só redemoinham à sua volta. Rica descoberta, dirás a certa altura, rica e macabra descoberta, toda a gente sabe que deve morrer, mesmo o mais ínfimo dos homens. É verdade, com o pensamento sabemo-lo todos, mas sabê-lo com o pensamento é uma coisa, sabê-lo com o coração é outra, completamente diferente. Quando a tua mãe me agredia com a sua arrogância, dizia-lhe: «Fazes-me doer o coração.» Ela ria-se. «Não sejas ridícula», respondia-me, «o coração é um músculo, se não corres, não pode doer.»

Quando ela já era suficientemente crescida para compreender, tentei falar-lhe muitas vezes, explicar-lhe o percurso que me tinha levado a afastar-me dela. «É verdade», dizia-lhe, «a certa altura da tua infância, pus-te de lado, tive uma grande doença. Se tivesse continuado a tratar de ti assim doente, talvez tivesse sido pior. Agora já estou bem», dizia-lhe, «podemos falar disso, discutir, recomeçar do princípio.» Ela não ligava importância, «agora quem está mal sou eu», dizia, e recusava-se a falar. Odiava a serenidade que eu estava a atingir, fazia o que podia para a comprometer, para me arrastar para os seus pequenos infernos diários. Tinha decidido que o seu estado natural era ser infeliz. Tinha-se enroscado em si mesma para que nada pudesse ofuscar a ideia que fizera da sua vida. Racionalmente, claro, dizia que queria ser feliz, mas na realidade — bem no seu íntimo — aos dezasseis, dezasete anos já tinha dado por terminada qualquer possibilidade de mudança. Enquanto eu me ia abrindo lentamente para uma dimensão diferente, ela continuava imóvel, com as mãos na cabeça, à espera de que as coisas lhe caíssem em cima. A minha nova tranquilidade irritava-a, quando via o Evangelho na minha mesinha-de-cabeceira, dizia: «De que é que tens de te consolar?»

Quando o Augusto morreu, nem sequer quis vir ao funeral. Nos últimos anos ele tinha sido atingido por um tipo bastante grave de arterosclerose, andava pela casa a falar como uma criança, e ela não o suportava. «O que é que este senhor deseja?», gritava, mal ele, arrastando os pés, aparecia à porta de uma sala. Quando ele morreu, ela tinha dezasseis anos, desde os catorze que não lhe chamava «papá». Morreu no hospital, numa tarde de Novembro. Tinham-no internado um dia antes com um ataque cardíaco. Eu estava no quarto com ele, não lhe tinham vestido o pijama mas uma camisa branca atada nas costas com uns laços. Segundo os médicos diziam, o pior já tinha passado.

A enfermeira tinha acabado de trazer o jantar quando ele, como se tivesse visto qualquer coisa, se levantou de repente e deu três passos para a janela. «As mãos da Ilaria», disse com o olhar baço, «mãos daquelas ninguém mais tem na família», depois voltou para a cama, e morreu. Olhei pela janela. Caía uma chuva miudinha. Acariciei-lhe a cabeça.

Durante dezassete anos, sem nunca ter deixado transparecer fosse o que fosse, guardara aquele segredo dentro dele.

É meio-dia, está sol e a neve começa a derreter. No relvado em frente da casa aparecem manchas de relva amarela, dos ramos das árvores vão caindo gotas de água. É estranho, mas com a morte do Augusto apercebi-me de que a morte em si, só por si, não provoca o mesmo tipo de dor. Há um vazio inesperado — o vazio é sempre igual —, mas é justamente nesse vazio que a dor é diferente. Tudo o que não se disse nesse espaço se materializa e se dilata, e continua a dilatar-se. É um vazio sem portas, sem janelas, sem saídas. O que lá fica suspenso fica para sempre, está na tua cabeça, contigo, à tua volta, envolve-te e confunde-te como uma neblina espessa. O facto de o Augusto saber da Ilaria e nunca mo ter dito provocou-me um profundo mal-estar. Nesse momento, gostava de lhe ter falado do Ernesto, do que ele tinha sido para mim, gostava de lhe ter falado da Ilaria, gostava de ter discutido com ele acerca de muitas coisas, mas já não era possível.

Agora talvez compreendas o que te disse no início: os mortos pesam menos pela ausência do que por aquilo que — entre eles e nós — não foi dito.

Como tinha acontecido depois da morte do Ernesto, também depois da morte do Augusto procurei conforto na religião. Conhecera há pouco tempo um jesuíta alemão, era só uns anos mais velho do que eu. Após alguns encontros, e depois de ele ter notado que eu não tinha grande estima pelas funções religiosas, propôs-me que não nos encontrássemos na igreja, mas noutro local.

Como ambos gostávamos de andar, decidimos passear juntos. Ele vinha buscar-me todas as quartas-feiras à tarde, de botas e com uma velha mochila, o seu rosto agradava-me muito, tinha o rosto cavado e sério de um homem que tinha crescido entre os montes. De início, o facto de ser padre assustava-me, só lhe contava metade das coisas, tinha medo de o escandalizar, de ver cair sobre mim condenações, juízos impiedosos. Depois, um dia, enquanto descansávamos sentados numa pedra, ele disse-me: «Faz mal a si própria, sabe. Só a si própria». A partir desse momento, deixei de mentir, abri-lhe o coração como depois da morte do Ernesto não o tinha feito com mais ninguém. Enquanto ia falando, fui-me esquecendo de que tinha à minha frente um homem da Igreja. Ao contrário dos outros padres que tinha conhecido, ele não conhecia palavras de condenação ou de consolo, o adocicado das mensagens mais garantidas era-lhe estranho. Havia nele uma espécie de dureza que, à primeira vista, podia parecer repelente. «Só a dor faz crescer», dizia, «mas a dor deve ser enfrentada cara a cara, quem foge ou se compadece de si próprio está destinado a perder».

Vencer, perder, os termos guerreiros que empregava serviam para descrever uma luta silenciosa, interior. Segundo ele, o coração do homem era como a terra, metade iluminado pelo sol e metade na sombra. Nem mesmo os santos tinham luz em todo o lado. «Como o corpo existe», dizia ele, «estamos na sombra, somos anfíbios, como as rãs, uma parte de nós vive cá em baixo e a outra tende para as alturas. Viver é apenas ter consciência disso, sabê-lo, lutar para que a luz não desapareça, vencida pela sombra. Desconfie de quem é perfeito», dizia-me, «de quem tem as soluções já prontas no bolso, desconfie de tudo excepto daquilo que o coração lhe disser.» Eu ouvia-o fascinada, nunca tinha encontrado ninguém que exprimisse tão bem o que já há algum tempo se agitava dentro de mim sem conseguir sair cá para fora. Com as suas palavras, os meus pensamentos assumiam uma forma, de repente havia um caminho à minha frente, já não me parecia impossível percorrê-lo.

De vez em quando, levava na mochila algum livro de que gostava particularmente; quando parávamos, lia-me passagens com a sua voz clara e severa. Junto dele descobri as orações dos monges russos, a oração do coração, compreendi os passos do Evangelho e da *Bíblia* que até então me tinham parecido obscuros. Durante os anos que tinham passado desde a morte do Ernesto tinha percorrido um caminho interior, mas era um caminho limitado ao conhecimento de mim mesma. Nesse caminho, encontrei-me a certa altura diante de um muro, sabia que para lá desse muro o caminho continuava, mais luminoso e mais largo, mas não sabia como fazer para o transpor. Um dia, durante um aguaceiro inesperado, abrigámo-nos à entrada de uma gruta. «Como se faz para ter fé?», perguntei-lhe lá dentro. «Não se faz nada, acontece. Você já tem fé, mas o seu orgulho impede-a de o admitir, faz demasiadas perguntas a si mesma, complica o que é simples. Na realidade, só há um medo tremendo. Deixe-se levar, e o que tiver de vir, virá.»

Depois desses passeios voltava para casa cada vez mais confusa, mais incerta. Era desagradável, já te disse, as suas palavras feriam-me. Muitas vezes tive vontade de não o voltar a ver, na terça-feira à noite dizia para comigo agora telefono-lhe, digo-lhe para não vir porque não me sinto bem, mas não lhe telefonava. Na quarta-feira à tarde, esperava-o pontualmente à porta, com a mochila e as botas.

Os nossos passeios duraram pouco mais de um ano, de um dia para o outro os seus superiores destituiram-no do cargo.

O que te disse talvez te leve a pensar que o padre Thomas era um homem arrogante, que havia veemência ou fanatismo nas suas palavras, na sua visão do mundo. Mas não era assim, lá bem no fundo era a pessoa mais pacata e afável que já conheci, não era um soldado de Deus. Se havia misticismo na sua personalidade, era um misticismo muito concreto, agarrado às coisas de todos os dias.

«Estamos aqui, agora», repetia-me sempre.

À porta de casa, entregou-me um envelope. Lá dentro havia um postal com uma paisagem de pastos serranos. O reino de Deus está dentro de si, estava impresso por cima, em alemão, e, na parte detrás, com a sua letra, tinha escrito: «Sentada debaixo do carvalho, não seja você, mas o carvalho, no bosque, seja o bosque, no meio dos homens, esteja com os homens».

O reino de Deus está dentro de vós, lembras-te? Esta frase já me tinha impressionado quando vivia em L'Aquila como esposa infeliz. Nessa altura, fechando os olhos, deslizando com o olhar para dentro de mim, não conseguia ver nada. Depois do encontro com o padre Thomas, algo tinha mudado, continuava a não ver nada, mas já não era uma cegueira total, no fundo da escuridão começava a haver um clarão, de vez em quando, por brevíssimos instantes, conseguia esquecer-me de mim mesma. Era uma luz pequena, débil, uma chamazinha apenas, bastaria um sopro para a apagar. Todavia, o facto de existir dava-me uma leveza estranha, o que sentia não era felicidae, mas alegria. Não havia euforia, exaltação, não me sentia mais sábia, mais elevada. O que crescia dentro de mim era apenas uma serena consciência de existir.

Prado no prado, carvalho debaixo do carvalho, pessoa no meio das pessoas.

20 de Dezembro

Hoje de manhã, precedida pelo *Buck*, fui ao sótão. Há quantos anos não abria aquela porta! Havia pó por todo o lado e enormes aranhas penduradas nos cantos das traves. Ao remexer nas caixas e nos cartões, descobri dois ou três ninhos de arganazes, dormiam tão profundamente que não deram conta de nada. Quando se é criança, gosta-se muito de ir ao sótão, mas quando se é velho, não. Tudo o que era mistério, aventurosa descoberta, transforma-se em dor da recordação.

Procurava o presépio, para o encontrar tive de abrir várias caixas, os dois baús maiores. Embrulhados em jornais e trapos vieram--me às mãos a boneca preferida da Ilaria, os seus brinquedos de criança.

Mais em baixo, luzidios e perfeitamente conservados, estavam os insectos do Augusto, a sua lente de aumentar, os utensílios que ele usava para os apanhar. Ali perto, num frasco para rebuçados, estavam as cartas do Ernesto, atadas com uma fitinha cor-de-rosa. De ti não havia nada, és jovem, estás vivas, o sótão ainda não é o teu lugar.

Ao abrir os saquinhos que estavam num dos baús, encontrei também as poucas coisas da minha infância que se tinham salvo da derrocada da casa. Estavam chamuscadas, tirei-as para fora como se fossem relíquias. Eram sobretudo utensílios de cozinha: um alguidar de esmalte, um açucareiro de louça branca e azul, talheres, uma forma de bolo e, lá no fundo, as páginas soltas de um livro sem capa. Que livro seria? Não conseguia lembrar-me. Só quando lhes peguei com todo o cuidado e comecei a percorrer as linhas desde o início é que tudo me veio ao espírito. Foi uma emoção muito forte: não era um livro qualquer, mas o livro que, em criança, tinha gostado mais de ler, o que mais do que qualquer outro me tinha feito sonhar. Chamava-se *As maravilhas do Ano 2000* e era, a seu modo, um livro de ficção científica. A história era muito simples, mas cheia de fantasia. Para ver se o magnífico destino do progresso se confirmaria, dois cientistas de finais do século XIX tinham estado a hibernar até ao ano 2000. Passado exactamente um século, o neto de um dos seus colegas, também cientista, tinha-os descongelado e, a bordo de uma pequena plataforma voadora, tinha-os levado a dar um passeio instrutivo pelo mundo. Na história, não havia extra-terrestres nem astronaves, tudo o que acontecia tinha apenas a ver com o destino do homem, destino que ele tinha construído com as suas mãos. E, segundo o que o autor dizia, o homem tinha feito muitas coisas e todas maravilhosas. No mundo já não havia fome nem pobreza porque a ciência, aliada à tecnologia, tinha encontrado o modo de tornar fértil cada canto do planeta e — coisa ainda mais importante — tinha feito com que essa fertilidade fosse distribuída de uma forma igual por todos os seus habitantes. Havia muitas máquinas que aliviavam os homens das canseiras do trabalho, toda a gente tinha muito tempo livre e assim cada ser humano podia cultivar as partes mais nobres de si mesmo, por todo o globo ecoavam músicas, versos, conversas filosóficas, calmas e eruditas. Como se isso não bastasse, graças à plataforma volante, era possível passar em pouco menos de uma hora de um continente para outro. Os dois velhos cientistas pareciam muito satisfeitos: tudo aquilo que, na sua fé positivista, tinham previsto se confirmara. Ao folhear o livro, encontrei também a minha gravura preferida: aquela em que os dois corpulentos estudiosos, de barba darwiniana e colete aos quadrados, se debruçavam satisfeitos da plataforma e olhavam para baixo.

Para dissipar qualquer dúvida, um deles ousou fazer a pergunta que mais lhe interessava: «E os anarquistas», perguntou, «os revolucionários, ainda existem?» «Oh, claro que existem», respondeu o seu guia, sorrindo. «Vivem em cidades construídas de propósito para eles sob o gelo dos Pólos, assim, se por acaso quisessem prejudicar os outros, não poderiam fazê-lo.»

«E os exércitos», insistia o outro, «porque é que não se vê nem um soldado?»

«Os exércitos já não existem», respondia o jovem.

Nessa altura, os dois suspiravam de alívio: finalmente o Homem regressara à sua bondade original! Mas era um alívio de curta duração porque, de súbito, o guia dizia-lhes: «Oh não, a razão não é essa. O Homem não perdeu a paixão de destruir, só aprendeu a conter-se.

Os soldados, os canhões, as baionetas, são instrumentos ultrapassados. Em vez deles, há um engenho pequeno, mas muito potente: é a ele que se deve a ausência de guerras. De facto, basta subir a um monte e deixá-lo cair lá de cima para o mundo inteiro ficar reduzido a uma chuva de migalhas e estilhaços.»

Os anarquistas! Os revolucionários! Quantos pesadelos da minha infância nestas duas palavras. Para ti talvez seja um tanto difícil percebê-lo, mas tens de ter em conta que eu tinha sete anos quando se deu a Revolução de Outubro. Ouvia murmurar coisas terríveis, uma das minhas companheiras de escola tinha dito que os Cossacos viriam em breve até Roma, até S. Pedro, e dariam de beber aos seus cavalos nas fontes sagradas. O horror, naturalmente presente nas mentes infantis, tinha-se associado àquela imagem: à noite, prestes a adormecer, ouvia o rumor dos seus cascos em corrida desde os Balcãs.

Quem poderia imaginar que os horrores que iria ver seriam muito diferentes, muito mais perturbadores do que os cavalos a galope pelas ruas de Roma? Em criança, quando lia aquele livro, fazia grandes cálculos para saber se, com a idade que tinha, conseguiria chegar ao ano 2000. Noventa anos parecia-me uma idade bastante avançada, mas não impossível de atingir. Essa ideia provocava em mim uma espécie de embriaguês, um leve sentimento de superioridade sobre todos aqueles que não chegariam ao ano 2000.

Agora que estamos quase lá, sei que não vou chegar. Sinto pena, tristeza? Não, estou apenas muito cansada, de todas as maravilhas anunciadas só vi concretizar-se uma: o engenho minúsculo e potentíssimo. Não sei se, nos últimos dias da sua existência, toda a gente tem esta sensação inesperada de ter vivido durante demasiado tempo, de ter visto demasiadas coisas, sentido demasiado. Não sei se isso acontecia ao homem do neolítico, ou não. No fundo, pensando no século quase inteiro que atravessei, tenho a ideia de que houve um momento em que o tempo sofreu de súbito uma aceleração. Um dia continua a ser um dia, a noite muda na proporção do dia, como o dia muda com as estações. É-o agora como o era no tempo do neolítico. O Sol nasce e põe-se. Se, astronomicamente, há alguma diferença, é uma diferença mínima.

No entanto, tenho a sensação de que agora é tudo mais acelerado. A História faz acontecer muitas coisas, alveja-nos com acontecimentos sempre diferentes. No fim de cada dia sentimo-nos mais cansados; no fim de uma vida, sentimo-nos exaustos. Pensa só na Revolução de Outubro, no comunismo! Vi-o nascer, por causa dos bolchevistas não dormi de noite; vi-o espalhar-se pelos países e dividir o mundo em duas grandes fatias, aqui o branco, ali o preto — o branco e o preto em luta perpétua entre eles —, por causa dessa luta ficámos todos com a respiração suspensa: havia o engenho, já tinha caído, mas podia cair de novo, a qualquer momento. Depois, de repente, num dia como qualquer outro, ligo a televisão e vejo que já nada disso existe, derrubam-se os muros, os arames farpados, as estátuas: em menos de um mês, a grande utopia do século transformou-se num dinossauro. Está embalsamada, é inócua na sua imobilidade, está no meio de uma sala, e todos passam por ela dizendo era tão grande, oh, que terrível que era!

Falo em comunismo, mas poderia falar de qualquer outra coisa, passaram-me tantas diante dos olhos e nenhuma ficou. Compreendes agora porque digo que o tempo está acelerado? No neolítico, o que é que podia suceder no decurso de uma vida? A estação das chuvas, a estação das neves, a estação do sol e a invasão dos gafanhotos, algumas escaramuças sangrentas com vizinhos pouco simpáticos, talvez a queda de um pequeno meteorito com a sua cratera fumegante. Para lá do acampamento, para lá do rio, não existia mais nada, como as pessoas desconheciam a extensão do mundo, o tempo era forçosamente mais lento.

Parece que os chineses costumam dizer entre eles: «Oxalá possas viver em anos interessantes». Um augúrio favorável? Acho que não, parece-me mais uma maldição do que um augúrio. Os anos interessantes são os mais inquietos, são aqueles em que acontecem muitas coisas. Vivi em anos muito interessantes, mas aqueles que tu vais viver talvez sejam ainda mais interessantes. Embora seja uma mera convenção astronómica, a mudança de milénio parece que traz sempre consigo uma grande perturbação.

No dia 1 de Janeiro de 2000, os pássaros acordarão nas árvores à mesma hora em que acordaram a 31 de Dezembro de 1999, cantarão do mesmo modo e, mal acabem de cantar, como no dia anterior, irão à procura de comida. Para os homens, porém, tudo será diferente. Talvez — se o castigo previsto não surgir — se dediquem de boa vontade à construção de um mundo melhor. Será assim? Talvez sim, ou talvez não. Os sinais que até hoje pude ver são diversos e contrastantes. Um dia, parece-me que o Homem não passa de um macaco dominado pelos seus instintos e, infelizmente, capaz de manobrar máquinas sofisticadas e muito perigosas: no dia seguinte, porém, tenho a impressão de que o espírito já começa a emergir. Qual das duas hipóteses se irá concretizar? Sabe-se lá, talvez nenhuma das duas, talvez de facto, na primeira noite do ano 2000, o céu, para castigar o Homem pela sua estupidez, pelo modo pouco avisado como desperdiçou as suas potencialidades, faça cair sobre a terra uma terrível chuva de fogo e lapíli.

No ano 2000, terás apenas vinte e quatro anos e verás tudo isto, eu, pelo contrário, já terei partido, levando para o túmulo a minha curiosidade insatisfeita. Estás preparada, serás capaz de enfrentar os novos tempos? Se neste momento descesse do céu uma fada e me pedisse para exprimir três desejos, sabes o que lhe pedia? Pedia-lhe para me transformar num arganaz, num pardal, numa aranha doméstica, em qualquer coisa que, embora não sendo vista, vivesse perto de ti. Não sei qual vai ser o teu futuro, não consigo imaginá-lo; como gosto muito de ti, sofro muito por não saber. Das poucas vezes em que falámos disso, tu não o vias nada cor-de-rosa: com o radicalismo da adolescência, estavas convencida de que a infelicidade te perseguia e te persiguiria para sempre. Eu estou convencida exactamente do contrário. Porquê, perguntarás, que sinais me fazem alimentar esta ideia louca? Por causa do *Buck*, minha querida, sempre e só por causa do *Buck*. Porque, quando o escolheste no canil, pensavas ter escolhido apenas um cão entre os outros cães. De facto, naqueles três dias, travaste dentro de ti uma batalha maior e muito mais decisiva: entre a voz da aparência e a voz do coração, sem qualquer dúvida, sem qualquer indecisão, escolheste a do coração.

Muito provavelmente, na tua idade, eu teria escolhido um cão de pêlo sedoso e elegante, teria escolhido o mais nobre e perfumado, um cão com quem pudesse passear para ser invejada. A minha insegurança, o meio em que cresci fizeram-me ceder à tirania da exterioridade.

21 de Dezembro

Ontem, depois da demorada inspecção ao sótão, acabei por trazer apenas o presépio e a forma de bolo que sobreviveu ao incêndio. O presépio, é evidente, dirás tu, estamos no Natal, mas porquê a forma? Essa forma pertencia à minha avó, ou seja, à tua trisavó, e é o único objecto que ficou de toda a história feminina da família. Devido à longa permanência no sótão, está muito enferrujada, trouxe-a logo para a cozinha e, no lava-louça, com a mão que consigo mexer e umas esponjas próprias, tentei limpá-la. Imagina lá quantas vezes em toda a sua existência ela entrou e saiu do forno, quantos fornos diferentes e cada vez mais modernos viu, quantas mãos diferentes mas idênticas a encheram de massa. Trouxe-a para baixo para a fazer viver mais uma vez, para que tu a uses e a deixes, talvez, às tuas filhas, para que na sua história de objecto humilde resuma e recorde a história das nossas gerações.

Mal a vi no fundo do baú, lembrei-me da última vez em que nos sentimos bem juntas. Quando foi? Há um ano, talvez há pouco mais de um ano. Na primeira tarde em que entraste sem bater no meu quarto, estava eu a descansar deitada na cama com as mãos unidas sobre o peito, e tu desataste a chorar sem nenhum pudor. Os teus soluços acordaram-me. «O que é que se passa?», perguntei-te, sentando-me na cama. «O que aconteceu?» «É que em breve morrerás», respondeste, chorando ainda mais. «Oh Deus, esperemos que não seja tão cedo», disse-te eu, rindo, e depois acrescentei: «Sabes? Vou ensinar-te uma coisa que eu sei fazer e tu não, assim quando já cá não estiver tu vais fazê-la e lembras-te de mim». Levantei-me e tu atiraste-me os braços ao pescoço. «Então», disse-te eu para afastar a comoção que também começava a apossar-se de mim, «o que queres que eu te ensine a fazer?» Enquanto te enxugava as lágrimas, pensaste durante alguns instantes e depois disseste: «Um bolo». Fomos para a cozinha e iniciámos uma grande batalha. Em primeiro lugar não querias o avental, dizias: «Se o ponho, também tenho de pôr os *bigoudis* e os chinelos, que horror!». Depois, ao veres as claras que tinhas de bater em castelo, dizias que te doía um pulso, ficavas furiosa porque a manteiga não se misturava com as gemas dos ovos, porque o forno nunca estava suficientemente quente. Ao lamber a colher de pau com que tinha derretido o chocolate, fiquei com o nariz todo castanho. Tu desataste a rir: «Na tua idade», dizias, «não tens vergonha? Tens o nariz castanho como o de um cão!»

Para fazermos aquele bolo tão simples levámos uma tarde inteira, reduzindo a cozinha a um estado lastimável. De repente, tinha surgido entre nós uma enorme leveza, uma alegria baseada na cumplicidade. Só quando o bolo entrou finalmente no forno, quando o viste começar a escurecer lentamente do outro lado do vidro, é que de repente te lembraste porque o tínhamos feito e recomeçaste a chorar. Diante do forno, eu tentava consolar-te. «Não chores», dizia-te, «é verdade que me irei antes de ti, mas quando já cá não estiver ainda cá estarei, viverei na tua memória com as boas recordações: verás as árvores, a horta, o jardim e lembrar-te-ás de todos os momentos felizes que passámos juntas. O mesmo te acontecerá se te sentares na minha poltrona, se fizeres o bolo que te ensinei a fazer hoje, e ver-me-ás diante de ti com o nariz todo castanho.»

22 de Dezembro

Hoje, depois de lanchar, fui para a sala-de-estar e comecei a enfeitar o presépio no lugar do costume, perto da chaminé. Comecei por pôr o papel verde, depois os pedaços de musgo seco, as palmas, a cabana com o S. José e a Virgem, o boi e o burro e, a toda a volta, a multidão dos pastores, as mulheres com os gansos, os músicos, os porcos, os pescadores, os galos e as galinhas, as ovelhas e os carneiros. Com a fita-cola, colei por cima do presépio o papel azul do céu; a estrela meti-a no bolso direito do roupão, no esquerdo, meti os Reis Magos; depois, fui para outro lado da sala e pendurei a estrela sobre a cómoda; por baixo, um pouco distante, dispus a fila dos Reis e dos camelos.

Lembras-te? Quando eras pequena, com a mania da coerência que caracteriza as crianças, não suportavas que a estrela e os três Reis Magos estivessem desde o início junto do presépio. Tinham de estar longe e irem avançando a pouco e pouco, a estrela um pouco à frente e os três Reis, logo atrás. Também não suportavas que o menino Jesus estivesse antes do tempo na manjedoura e por isso, no dia vinte e quatro, à meia-noite em ponto, fazíamo-lo planar desde o céu até no estábulo. Enquanto dispunha as ovelhas no seu tapete verde, veio-me à ideia outra coisa que tu gostavas de fazer com o presépio, um jogo que inventaste e que nunca te cansavas de repetir. Para o fazeres, julgo que começaste por te inspirar na Páscoa. De facto, na Páscoa, eu costumava esconder-te no jardim ovos pintados. No Natal, em vez dos ovos, escondias as ovelhas, quando eu não estava a ver, tiravas uma do rebanho e punha-la nos sítios mais incríveis, depois ias ter comigo onde eu estivesse e começavas a balir com uma voz desesperada. Então começava a busca, eu deixava o que estava a fazer e contigo atrás de mim, rindo e balindo, andava pela casa, dizendo: «Onde estás tu, ovelhinha perdida? Aparece, que te ponho a salvo».

E agora, ovelhinha, onde estás tu? Agora, estás aí, no meio dos coiotes e dos cactos; quando estiveres a ler isto, é muito provável que estejas aqui e que as minhas coisas já estejam no sótão. As minhas palavras ter-te-ão posto a salvo? Não tenho essa presunção, talvez só te tenham irritado, talvez só tenham confirmado a ideia já péssima que tinhas de mim antes de partires. Talvez só possas compreender-me quando fores mais crescida, talvez possas compreender-me se tiveres feito aquele percurso misterioso que vai da intransigência à piedade.

Piedade, repara bem, não pena. Se sentires pena, descerei como os espíritos malignos e dar-te-ei imensas arrelias. Farei o mesmo se, em vez de humilde, fores modesta, se te embriagares com palavreados vazios em vez de estares calada. Explodirão lâmpadas, os pratos voarão das prateleiras, as cuecas acabarão em cima do lustre, desde madrugada até noite cerrada não te deixarei em paz um só instante.

Não, não é verdade, não farei nada. Se, esteja onde estiver, arranjar maneira de te ver, só ficarei triste, como fico triste sempre que vejo uma vida desperdiçada, uma vida em que o caminho do amor não conseguiu cumprir-se. Tem cuidado contigo. Sempre que, à medida que fores crescendo, tiveres vontade de converter as coisas erradas em coisas certas, lembra-te de que a primeira revolução a fazer é dentro de nós próprios, a primeira e a mais importante. Lutar por uma ideia sem se ter uma ideia de si próprio é uma das coisas mais perigosas que se pode fazer.

Quando te sentires perdida, confusa, pensa nas árvores, lembra-te da forma como crescem. Lembra-te de que uma árvore com muita ramagem e poucas raízes é derrubada à primeira rajada de vento, e de que a linfa custa a correr numa árvore com muitas raízes e pouca ramagem. As raízes e os ramos devem crescer de igual modo, deves estar nas coisas e estar sobre as coisas, só assim poderás dar sombra e abrigo, só assim, na estação apropriada, poderás cobrir-te de flores e de frutos.

E quando à tua frente se abrirem muitas estradas e não souberes a que hás-de escolher, não metas por uma ao acaso, senta-te e espera. Respira com a mesma profundidade confiante com que respiraste no dia em que vieste ao mundo, e sem deixares que nada te distraia, espera e volta a esperar. Fica quieta, em silêncio, e ouve o teu coração. Quando ele te falar, levanta-te, e vai para onde ele te levar.

GRANDES NARRATIVAS